KV-001-787

KUNST VERSTEHEN

ART ESSENTIALS

KUNST VERSTEHEN

—

SUSAN WOODFORD

—

MIDAS

INHALT

EINFÜHRUNG

Bilder anzuschauen kann gleichermaßen reizvoll, aufregend und bewegend sein. Während sich manche gleich auf den ersten Blick erschließen, muss man andere – oft die faszinierendsten – etwas intensiver erkunden, um sie vollständig zu verstehen.

Dieses Buch beschäftigt sich mit mehreren Aspekten der Bildbetrachtung: Themen, die in Bildern populär sind, überraschend unterschiedliche Umsetzungen, technische Probleme, denen sich Künstler gegenübersehen – und wie sie sie lösen bzw. umgehen –, und selbst verborgene Bedeutungen und Anspielungen.

Zwar gefallen viele Bilder gleich auf den ersten Blick, dennoch hilft die Analyse zu verstehen, was sie fürs Auge angenehm macht und welche Balance aus Farben und Formen den gewünschten Effekt erzielt. Andere, die verzerrt oder unangenehm wirken, können dennoch einen unerwarteten emotionalen Eindruck hinterlassen – wobei sich auch hier die Bewunderung aus einer sorgfältigen Analyse ergibt.

Die hier enthaltenen Analysen und Beschreibungen von Bildern, die im Verlauf von Jahrhunderten in vielen verschiedenen Ländern entstanden, sollen Leserinnen und Lesern helfen, Bilder gern zu betrachten und die feine Vielschichtigkeit unter der atemberaubenden Oberfläche zu erkennen und zu genießen.

WIE MAN BILDER ANSCHAUT

-

Durch unterschiedliche Blickwinkel
eröffnen sich völlig neue Perspektiven.

-

Es gibt viele Möglichkeiten, Bilder zu betrachten. In diesem Kapitel nehmen wir vier stilistisch völlig verschiedene Bilder und analysieren sie auf sehr unterschiedliche Art und Weise.

WIE WURDE EIN BILD EINGESETZT?

Zu Beginn fragen wir uns, welchen Zweck ein Bild erfüllte. Dieses lebendige Bild eines Bisons (unten) wurde vor ca. 15.000 Jahren an die Decke einer Höhle im heutigen Spanien gemalt. Wozu mag dieses wunderschöne und anschauliche Bild in einer dunklen Kammer beim Eingang der Höhle wohl gedient haben? Manche glauben, es hätte einen magischen Zweck und sollte seinem Maler (oder dessen Stamm) Glück bei der Jagd des abgebildeten Tieres bringen. Ein ähnliches Beispiel finden wir beim Voodoo, wo eine Nadel in eine der Zielperson ähnlichen Puppe gesteckt wird, um die betreffende Person zu verletzen. Vielleicht hoffte er, das Tier selbst zu erlegen, indem er sein Bildnis auf die Wand brachte.

Prähistorischer Künstler
Höhlengemälde eines Bisons,
15.000–10.000 v. Chr.
Pigmente aus Holzkohle und Ocker wurden verwendet, Altamira

Über die Funktion solcher Gemälde wird viel spekuliert. Einer Theorie zufolge hoffte der Maler möglicherweise, dass er mit dem Bild des Bisons bei der Jagd auf diese Tiere erfolgreicher wäre.

Byzantinische Schule
Die Auferweckung des Lazarus, 6. Jh., Mosaik in der Basilika von Sant'Apollinare Nuovo, Ravenna

Die unkomplizierte Klarheit solcher Illustrationen half in der frühen christlichen Kirche, die Evangelien der Mehrheit des Volkes nahezubringen, die des Lesens nicht mächtig war.

Das zweite Bild (oben) ist völlig anders: ein Mosaik aus einer christlichen Kirche. Sein Motiv, die Auferweckung des Lazarus, ist leicht zu benennen. Lazarus war seit Tagen tot, als Jesus eintraf, aber Jesus ließ sein Grab öffnen, und dann hob Jesus, laut Johannesevangelium,

seine Augen empor und sagte »Vater, ich danke dir, dass du mich erhört hast ... aber um des Volkes willen, das umhersteht, sage ich's, dass sie glauben, du habest mich gesandt«
Dann rief er mit lauter Stimme: »Lazarus, komm heraus!«
Und der Verstorbene kam heraus, gebunden mit Grabtüchern an Füßen und Händen.
Johannes 11: 41–44

Das Bild illustriert die Geschichte in eindrucksvoller Klarheit; wir sehen Lazarus, »gebunden mit Grabtüchern an Füßen und Händen«, der aus der Grabstätte tritt, in der er beigesetzt war. Zu sehen ist Jesus in königlichem Purpur, der Lazarus mit gebieterischer Geste ruft. Neben ihm hebt einer der »umherstehenden« Menschen, für die das Wunder vollführt wurde, voll Erstaunen die Arme.

Das Bild ist einfach angelegt – einfarbige, klar umrissene Figuren vor einem goldenen Hintergrund. Es wirkt nicht so lebendig wie das Höhlengemälde, aber jeder, der die Geschichte kennt, weiß sofort, was gemeint ist. Welchen Sinn hatte das Bild als Dekoration in einer Kirche? Zur Zeit seiner Entstehung im 16. Jahrhundert konnten nur wenige Menschen lesen. Dennoch wollte die Kirche so vielen wie möglich die Evangelien und ihre Botschaft nahebringen. Papst Gregor der Große erklärte:»Bilder tun für die Analphabeten dasselbe wie Schrift für die, die des Lesens mächtig sind« – die Menschen konnten also mit solchen Illustrationen die Heilige Schrift verstehen.

Neid und List können Liebe ebenso begleiten wie die Freude.

Schauen Sie sich nun das Ölgemälde gegenüber an – es entstammt dem raffinierten Pinselstrich von Bronzino, Maler im 16. Jahrhundert. Er hat die heidnische Göttin Venus abgebildet, in erotisch zweideutiger Umarmung mit ihrem Sohn, dem geflügelten jungen Amor. Rechts von dieser zentralen Gruppe sehen wir einen fröhlichen kleinen Jungen, der in der Kunstwissenschaft oft als Verkörperung der Freude interpretiert wurde. Hinter ihm ist ein merkwürdiges Mädchen in Grün zu sehen, bei dem wir überrascht feststellen, dass sein Körper als Schlange aus dem Kleid heraustritt. Sie steht für die List – eine böse Eigenschaft, die auf den ersten Blick schön, unter der Oberfläche aber hässlich daherkommt –, eine häufige Begleiterin der Liebe. Links im Bild ist ein hässliches altes Weib zu sehen, das sich an den Haaren reißt: die Eifersucht, neben Neid und Verzweiflung ebenso eng mit der Liebe verflochten.

Oben im Bild sind zwei Figuren dabei, einen Vorhang zu heben, der die Szene offensichtlich verdeckt hat. Der Mann ist Gevatter Zeit, erkennbar an den Flügeln und dem typischen Stundenglas. Es ist die Zeit, die die vielen Komplikationen aufdeckt, die durch die hier gezeigte lustvolle Liebe entstehen. Die Frau ihm gegenüber ist wohl die Wahrheit; sie legt die merkwürdige Kombination aus Ängsten und Freuden offen, die untrennbar mit den Geschenken der Venus verbunden sind.

Das Bild zeigt einen moralischen Leitspruch: Neid und List können Liebe ebenso begleiten wie Freude. Aber die Moral wird nicht einfach und direkt kommuniziert wie die Geschichte von Lazarus (Seite 11), sondern ist stattdessen in eine komplizierte und obskure Allegorie mit sogenannten *Personifizierungen* eingebettet.

Agnolo Bronzino
Allegorie der Liebe,
ca. 1545,
Öl auf Holz, 146 x 116 cm
National Gallery, London

**Dieses komplexe allegori-
sche Gemälde wurde zur
Anregung einer gebildeten
Elite geschaffen.**

13

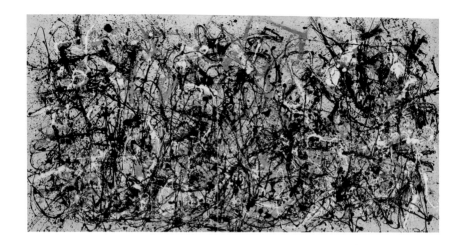

Der Sinn dieses Bildes bestand nicht darin, einem ungebildeten Publikum eine Geschichte zu vermitteln. Vielmehr sollte das Bild hochgebildete Menschen neugierig machen und in gewisser Weise reizen. Es wurde für den Großherzog der Toskana geschaffen, der es dem König von Frankreich, Franz I., schenkte (siehe S. 36–37). Damals war dies ein Gemälde zur Unterhaltung und Erbauung einer kultivierten Minderheit.

Betrachten wir schließlich das Bild oben, etwas aktueller, eine Arbeit des amerikanischen Malers Jackson Pollock. Es zeigt keine erkennbaren Elemente – keinen Bison, den es zu fangen, oder eine religiöse Botschaft, die es zu überbringen gilt ... auch keine komplexe Allegorie. Es ist stattdessen eine Aufzeichnung der Aktionen des Malers selbst, der Farbe auf eine riesige Leinwand wirft und damit dieses aufregende und lebendige abstrakte Muster schafft. Welchen Sinn hat eine solche Arbeit? Sie will die kreative Aktivität und geradezu physische Energie des Künstlers zeigen, den Betrachter über die Aktionen des Körpers und des Geistes bei der Arbeit an einem solchen Gemälde informieren.

Jackson Pollock
*Autumn Rhythm
(Number 30)*, 1950
Emaille auf Leinwand,
267 x 526 cm
Metropolitan Museum
of Art, New York

Zwar schockierten Pollocks Gieß- und Spritzgemälde anfangs die Welt, dennoch half diese Manifestation der Aktionsmalerei, das Zentrum der Avantgarde nach New York zu verlegen.

KULTURELLER KONTEXT
Eine weitere Möglichkeit der Bildbetrachtung ist, sich zu fragen, was uns die Bilder über die Kulturepoche berichten, in der sie geschaffen wurden. Aus dem Höhlengemälde (S. 10) zum Beispiel erfahren wir (wenn auch undeutlich) etwas über die Frühmenschen, die umherzogen und in Höhlen Schutz suchten, wilde Tiere jagten, jedoch nicht permanent siedelten oder Landwirtschaft betrieben.

WIE MAN BILDER
ANSCHAUT

Das christliche Mosaik aus dem 16. Jahrhundert (S. 11) reflektiert die patriarchalische Kultur, in der eine wissende Minderheit die ungebildete Masse belehrte. Es zeigt, dass es in den frühen Tagen der Christenheit wichtig war, geistliche Geschichten so klar und deutlich wie möglich zu kommunizieren, damit die Botschaft dieser relativ neuen Religion verstanden wurde.

Bronzinos gemalte Allegorie (S. 13) spricht Bände über eine intellektuell gebildete, vielleicht gar abgestumpfte vornehme Gesellschaft, die Rätsel liebte und die Kunst für raffinierte Spiele einsetzte. Das Gemälde aus dem 20. Jahrhundert (links) sagt etwas über Menschen in einem Zeitalter aus, die die Vision des Einzelnen und den Blick und die Aktion des Individualisten wertschätzen, eine Epoche, die die traditionellen Werte der Privilegierten abzulehnen und die Künstler zu ermutigen scheint, sich selbst frei und einzigartig auszudrücken.

Um Bilder überzeugend echt wirken zu lassen, mussten Generationen von Künstlern größte Vorstellungskraft und handwerkliches Können aufbringen.

NÄHE ZUR WIRKLICHKEIT

Eine dritte Möglichkeit der Bildbetrachtung ist die Frage, wie wirklichkeitsnah ein Bild aussieht. Naturtreue war häufig eine wichtige und schwierige Überlegung für Künstler, vor allem in der Antike (600 v. Chr. bis 300 n. Chr.) und von der Renaissance bis zum Beginn des 20. Jahrhunderts.

Um Bilder überzeugend echt wirken zu lassen, mussten Generationen von Künstlern größte Vorstellungskraft und handwerkliches Können aufbringen. Dabei dachten die Künstler meist an etwas ganz anderes. Häufig ist es nicht von Bedeutung, die eigenen Standards von natürlicher Exaktheit auf ein Bild anzuwenden, denn der Standard entspricht vielleicht nicht dem des Künstlers. Ein Mosaikleger im Mittelalter, der eine Bibelgeschichte möglichst lebendig erzählen wollte (S. 11), gestaltete seine Figuren nicht so räumlich und natürlich wie Bronzino (S. 13). Dennoch waren die Hauptfiguren Christus und Lazarus leicht erkennbar, ebenso die Geste, die er in der Bildmitte vom Hintergrund abhob. Klarheit stand über allem; Doppeldeutigkeiten ließ er auf keine Weise zu, und die Komplexität und Konfusion der für uns natürlichen Erscheinung hätte für ihn möglicherweise zur Ablenkung geführt.

Ebenso sollte der moderne Künstler, der *Autumn Rhythm* (links)
schuf und sich selbst so heftig in Farbe ausdrücken wollte, nicht
nach der Nähe zur Wirklichkeit bewertet werden, die hatte er überhaupt nicht im Sinn. Sein Ziel war es, Facetten seiner Gefühle zu
transportieren, seine Umgebung wollte er nicht aufzeichnen.

Zwar haben wir durchaus das Recht zu fragen, wie stark ein Bild
die Realität widerspiegelt, aber wir sollten auf die Frage verzich-
ten, wenn sie keine Rolle spielt.

DESIGN UND STRUKTUR

Viertens können Sie ein Bild anhand von Designüberlegungen
betrachten – wie also mittels Form und Farbe Muster im Bild
geschaffen werden. Wenn wir zum Beispiel Bronzinos *Allegorie*
(S. 13) in dieser Hinsicht analysieren, wird erkennbar, dass die
Hauptgruppe der Personen, Venus und Amor, das Bild als blasse
L-Form einrahmt. Als Gegengewicht zu dieser L-Form brachte
der Künstler ein umgekehrtes L aus dem kleinen Jungen (Freude)
sowie Kopf und Arm von Gevatter Zeit ins Bild. Die beiden L
bilden ein Rechteck, das die Geschehnisse fest im Bild veran-
kert – damit ist die Stabilität der ansonsten höchst komplexen
Komposition gewährleistet.

Formen und Farben erzeugen Muster im Bild.

Betrachten wir nun einen anderen Designaspekt. Sie sehen, dass die
gesamte Fläche mit Objekten oder Figuren ausgefüllt ist. Das Auge
kann sich nirgends ausruhen. Diese rastlose Aktivität von Formen im
Bild bezieht sich auf den Geist und das Thema der gesamten Arbeit,
nämlich Unruhe und Unentschlossenheit. Liebe, Freude, Neid und
List sind alle in einem optisch und gedanklich komplexen Muster eng
verflochten.

Der Künstler hat die Figuren mit kühlen, harten Umrissen und
sanft abgerundeten Oberflächen gemalt. Sie wirken fast, als bestün-
den sie aus Marmor. Das Gefühl von Härte und Kälte wird durch die
Farbgebung intensiviert: Fast ausschließlich blasse Blautöne werden
mit Schneeweiß kombiniert, dazu Anmutungen von Grün und
dunklerem Blau. (Die einzige warme Farbe ist das Rot des Kissens,
auf dem Amor kniet.) All diese Kälte und Härte sind genau das
Gegenteil dessen, was wir normalerweise mit der sinnlichen Geste
in der Bildmitte assoziieren. Damit wird eine Geste der Liebe oder

Leidenschaft, üblicherweise als zärtlich oder feurig angenommen, hier eher kalkuliert und kühl dargestellt.

Die formelle Designanalyse eines Bildes hilft, seine Bedeutung besser zu verstehen, und die Mittel zu erkennen, die dem Künstler zum Erzielen der gewünschten Effekte zur Verfügung stehen.

ÜBER BILDER SPRECHEN

In den folgenden zwölf Abschnitten geht es um Bilder aus verschiedenen Epochen und Orten. Zwar wird es vorrangig um das Motiv gehen, in zweiter Linie konzentrieren wir uns jedoch ebenso auf Aspekte von Form und Komposition, die sich nicht auf den ersten Blick erschließen. Dabei treffen wir auch auf Konzepte – zuweilen recht unerwartete –, die sich weder eindeutig in »Form« noch in »Inhalt« einordnen lassen, dennoch aber für das Verständnis und den Genuss eines Bildes entscheidend sind.

Die Beziehung der Bilder zur Gesellschaft, in der sie entstanden, werden wir nicht beleuchten, auch werden wir nicht chronologisch vorgehen. Viele ausgezeichnete Bücher über Kunstgeschichte untersuchen die Werke in ihrem historischen Kontext und zeichnen die Entwicklung der Stile von einer Epoche zur nächsten nach.

Vor allem werden wir Bilder nicht nur anschauen, sondern darüber sprechen, denn ... so komisch es klingt: Anschauen reicht nicht! Wörter zu finden, um Bilder zu analysieren und zu beschreiben, ist häufig der einzige Weg, um vom passiven Anschauen zum aktiven, perzeptiven Sehen zu gelangen.

SCHLÜSSELFRAGEN

- Haben Bilder immer einen Zweck?
- Sollte Kunst immer die Kultur reflektieren, die sie hervorgebracht hat?
- Ist es wichtig, dass Bilder die Realität möglichst genau nachbilden?
- Was hat der Künstler mit den Arrangements von Formen und Farben angestellt, um seine Arbeit wirkungsvoll zu gestalten?

LAND UND MEER

-

Die Welt um uns herum ist eine ständige
Quelle der Inspiration.

-

Eine Landschaft kann für Maler ebenso attraktiv sein wie für Natur-liebhaber. Manche Künstler haben sich regelrecht auf die Land-schaftsmalerei spezialisiert, während andere sich ihr zur Erholung von Geist und Auge nur hin und wieder zuwenden.

UNSERE UMGEBUNG ABBILDEN

Für viele Künstler ist der Vergleich zwischen von Menschen geschaf-fenen Schöpfungen und denen der Natur besonders interessant. Das kann zu Bildern führen, die nicht nur optisch ansprechend sind, son-dern unsere Rolle in der Natur aufzeigen. Ein solches ist zum Beispiel Constables Gemälde von der Kathedrale von Salisbury (unten).

Die großartige Kathedrale ist zum Teil hinter den belaubten Bäu-men im Vordergrund verborgen. Rinder grasen friedlich, manche im Schatten verborgen, andere von der Sonne beleuchtet, die auch die Kathedrale in ihrer vollen Schönheit anstrahlt. Der hoch aufragende Turm und die lange Horizontale des Daches sind die Hauptlinien des Bauwerks, wobei die Details – zahlreiche hohe Fenster, manche paarweise in einem Bogen; dreieckige Giebel, flankiert von Zinnen; verschieden hohe Mauern – alle zu unserer Wahrnehmung der

John Constable
Kathedrale von Salisbury,
ca. 1825
Öl auf Leinwand,
88 x 112 cm
Metropolitan Museum of
Art, New York

Constable schafft einen eleganten Kontrast zwischen der geordneten Geometrie der von Menschenhand errichteten Kathedrale und der Natürlichkeit der Bäume im Vordergrund.

Vincent van Gogh
Die Kirche von Auvers,
1890
Öl auf Leinwand,
94 x 74 cm
Musée d'Orsay, Paris

Mit den brillanten
Farben und lebendigen
Pinselstrichen schuf van
Gogh eine pulsierende
Vision der Kirche von
Auvers.

Kathedrale als Ganzes beitragen. Welch ein Kontrast zwischen den ebenmäßigen Elementen des Bauwerks und der undisziplinierten Vielfalt der Umgebung! In diesem Kontext wirken Menschen winzig – selbst der Bischof, der das Bild in Auftrag gegeben hatte und der mit seiner Frau unten links in der Ecke zu sehen ist.

Der holländische Maler van Gogh, der seine letzten Lebensjahre in Frankreich verbrachte, malte die Kirche von Auvers (S. 21) einige Jahre später, 1890. Sein Bild wirkt ganz anders als Constables Version.

Die Kirche selbst ist voller Leben – genau wie die Wiesen davor. Die Lebendigkeit der Pinselstriche – viele lang, stark und unabhängig, die wie von selbst Muster und Strukturen bilden – erweckt selbst den Himmel und den Pfad zur Kirche zum Leben, ebenso die Kirche und ihre unmittelbare Umgebung.

Die Erwartungen, die Constables Gemälde weckt, gehen bei einem Besuch in Salisbury durchaus in Erfüllung, während sich die Kirche von Auvers dem Besucher gänzlich anders präsentiert als in van Goghs Gemälde. Wie andere Kirchen ist das Bauwerk selbst massiv, solide und ebenmäßig geformt. Van Goghs persönliche Sicht hat sie jedoch in einen Teil seiner Geisteslandschaft verwandelt.

Dalís unheimliche Landschaft (rechts) aus dem 20. Jahrhundert ist gänzlich unwahrscheinlich. Dennoch besteht sie aus Elementen, die zwar verzerrt, aber dennoch sehr real wirken.

Jede der drei unangenehm »weichen« Uhren nimmt aus ihrem Kontext eine andere Bedeutung auf.

Eine Landschaft aus Klippen, Meer und endloser Ebene wird unerwartet von unnatürlichen, harsch gleichmäßigen Formen unterbrochen; zum Beispiel der flach glänzenden Platte am Meer und der riesigen sargähnlichen Kiste im Vordergrund, aus der ein toter Baum gewachsen zu sein scheint. Jede der unangenehm »weichen« Uhren nimmt aus ihrem Kontext eine andere Bedeutung auf: Eine hängt wie ein Tierkadaver von einem Ast; eine andere wirkt wie der Sattel eines längst verstorbenen Pferdes, das in einer unermesslichen Leere von Raum und Zeit dahintrottet; die dritte wiederum scheint in riesiger Hitze geschmolzen zu sein und zerfließt nun unregelmäßig auf der Kiste, auf der sie liegt – auf dem Ziffernblatt sitzt eine Fliege.

Salvador Dalí
Die Beständigkeit der
Erinnerung, 1931
Öl auf Leinwand, 24 x 33 cm
Museum of Modern Art,
New York

In akribisch realistischem Stil
stellt Dalí hier merkwürdig
verzerrte Elemente dar, um
ein beunruhigendes Bild
einer desolaten, unbewohn-
ten Landschaft zu malen.

Die einzige feste und intakte Uhr ist die eierförmige rote Uhr in ihrer Hülle. Auf den ersten Blick sieht es aus, als wäre sie mit einem schwarzen Muster dekoriert, was sich jedoch bei genauerem Hinschauen als Ameisen herausstellt, die mit der Fliege daneben die einzigen Lebewesen auf dem Bild sind.

Die Andeutung von Ewigkeit und Verfall in Kombination mit der realistischen Darstellung des Unmöglichen fügt sich zu einem plausiblen, dennoch aber verstörenden Albtraum zusammen. Dalí, der Meister des Surrealismus, ist in der Lage, gespenstische Landschaften zu schaffen, fernab von allem, was wir je erleben wollen.

Simon de Vlieger
A Dutch Man-of-War and Various Vessels in a Breeze,
ca. 1642
Öl auf Holz, 41 x 54,5 cm
National Gallery, London

Die starke Vertikale der stolzen Schiffe unter vollen Segeln auf einer horizontalen Fläche des brausenden Meeres zeugt von der Macht und Stabilität der holländischen Flotte.

BEGEGNUNG MIT DEM MEER

Im 17. Jahrhundert gehörten die Holländer zu den besten Seeleuten der Welt und Gemälde von Schiffen und dem Meer waren bei ihnen unglaublich beliebt. Simon de Vlieger kann selbst mit einem Gemälde von ein paar Schiffen auf dem Meer (oben) die ungeheure Weite und gefährlichen Wirbel des Meeres sowie die Schönheit der Segelschiffe darstellen. Ein gewaltiger Himmel bildet den Hintergrund für das stolze Kriegsschiff, das sich unter vollen Segeln zu neuen Abenteuern auf fernen Meeren in den Wind dreht.

Der französische Maler Monet hingegen war vom Glitzern des Wassers, von langsam aufsteigendem Morgennebel und den sanft auf den Wellen schaukelnden Booten fasziniert (unten). Er liefert uns einen vertrauten, heimeligen Blick auf das Meer, das er aus seiner Kindheit in Le Havre gut kannte. Das Lichtspiel auf dem Wasser hatte es ihm angetan, und er arbeitete intensiv an einer Technik, die diesen Effekt in Farbe einfangen konnte.

Claude Monet
Impression –
Sonnenaufgang,
1872–1873
Öl auf Leinwand,
49,5 x 65 cm
Musée Marmottan
Monet, Paris

Im Unterschied zu Simon de Vliegers gedämpften Farbtönen setzte Monet leuchtende Farben ein, um das Spiel des Lichts auf dem stillen Meer bei Sonnenaufgang einzufangen.

-
Das Glitzern des Wassers, der langsam aufsteigende Morgennebel und sanft auf den Wellen schaukelnde Boote
-

Sicher werden die meisten zustimmen, dass er mit diesem Gemälde, das er *Impression – Sonnenaufgang* nannte, den anbrechenden Morgen über dem Meer sehr gut beschrieben hat. Bei seiner ersten Ausstellung 1874 wurde das Bild jedoch bei weitem nicht von allen gelobt. Stattdessen wurde es wegen seiner rauen Oberfläche kritisiert, der fehlenden klaren Formen und wegen des skizzenhaften Stils, in dem sich Land, Meer und Himmel im Licht auflösen. Ein

Kritiker machte sich über dieses und die anderen Bilder der Ausstellung lustig und damit auch über die ganze Bewegung des Impressionismus, zu der Monet gehörte.

Das mag umso überraschender sein, als Turner bereits früher im 19. Jahrhundert Studien von Stürmen auf dem Meer gemalt hatte, in denen jede erkennbare Form verloren und in den tobenden Wellen und wogenden Wolken untergegangen war. *Schneesturm auf dem Meer* (unten) aus dem Jahr 1842 zeigt, wie wirkungsvoll Turner Meer und Schiffe darstellen konnte, obwohl sie sich in einer Welle von Farbe förmlich aufgelöst hatten.

Turners mächtige Bilder haben so viel Aussagekraft und kommunizieren Stürme und riesige Wellen so deutlich, dass der Betrachter versucht ist, seine Ausdrucksweise für die einzig machbare zur Darstellung eines chaotischen Sturms zu halten.

So ist es jedoch nicht. Ganz mit dem Gegenteil, also straffen Umrissen und präzisen Formen, war der japanische Künstler Hokusai unheimlich erfolgreich und transportierte so die schreckliche Schönheit einer großen Welle (rechts). Dieser Holzschnitt gehört zu einer Serie von Ansichten des Berges Fuji – der konische

J. M. W. Turner
Schneesturm auf dem Meer, 1842
Öl auf Leinwand,
91,4 x 122 cm
Tate, London

Turner fing das Chaos des Sturms mit verwirbelten Farben ein, die die Form des Schiffs verdecken und geradezu auflösen.

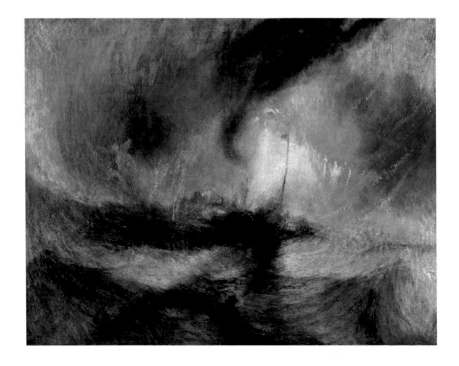

Katsushika Hokusai
Die große Welle von Kanagawa, 1830–1832
Farbiger Holzschnitt,
25,7 x 38 cm
Metropolitan Museum of Art, New York

Klare Umrisse und deutliche Konturentreue werden von Hokusai brillant eingesetzt, um die majestätische Kraft einer riesigen und furchteinflößenden Welle darzustellen.

schneebedeckte Vulkankegel kann etwas rechts von der Bildmitte bewundert werden.

Es dauert eine Weile, bis alle Details erkennbar werden und die sinkenden Schiffe und durchnässten Menschen zu entdecken sind.

Zuerst sticht natürlich die riesige Welle links ins Auge, die alles überragt und gleich zu brechen scheint. Der aufgewirbelte Schaum löst sich in Myriaden winziger, klar umrissener Klauen auf. Der hohe Wellengang ist durch weiße Zackenmuster verdeutlicht. Die gesamte Komposition ergibt ein solch lebendiges Abbild des stürmischen Meeres, gleichzeitig jedoch ein wunderbar dekoratives Design, dass es eine Weile dauert, bis man alle Details erkannt und die sinkenden Schiffe und durchnässten Menschen im Bild entdeckt hat.

Schließlich eine ganz andere Szene am Meer: ein Blick auf Venedig (umseitig), die bemerkenswerte Stadt am Meer, aus dem 19. Jahrhundert. Guardi hat hier den Glanz des Lichts auf dem Wasser ebenso erfolgreich eingefangen wie Monet (S. 25), allerdings auf

Francesco Guardi
Santa Maria della Salute,
ca 1770
Öl auf Leinwand,
50,5 x 41 cm
National Gallery of
Scotland, Edinburgh

**Die elegante Kirche
residiert majestätisch
über einer maritimen
Szene in Venedig, der
Königin der Meere.**

gänzlich andere Art und Weise. Er hat für sein Bild einen Moment gewählt, in dem die Sonne bereits aufgegangen ist und die Szene mit strahlendem Licht durchflutet.

Das Hauptmotiv des Gemäldes ist die Basilika Santa Maria della Salute, die diese Szene ebenso majestätisch dominiert wie Constables Salisbury Cathedral (S. 20). Sie ist gewaltig und massiv, dennoch hat Guardi sie gekonnt mit einem strahlenden Himmel überspannt, sodass das Bauwerk in strahlenden, blassen Farben gleichzeitig fest am Boden zu stehen und zwischen Meer und Himmel zu schweben scheint.

Wie in Constables Gemälde lässt das Kirchengebäude die Menschen um sich herum zu Miniaturen schrumpfen – dieses Mal handelt es sich dabei jedoch nicht um ein gesetztes englisches Paar, sondern um lebhafte Italiener, die die Lagune überqueren oder am Kai gestikulieren, wohl um in dieser belebten Handelsstadt Geschäften nachzugehen. Zwar sollte Guardis Bild nicht viel mehr sein als ein Blick auf einen besonders schönen Teil der Stadt, dennoch zeigt es den pikanten Kontrast zwischen der Vision einer glückselig-machenden Stabilität, die von der Kirche geboten wird, und der hastigen Furcht der Menschen, für die sie errichtet wurde.

SCHLÜSSELFRAGEN

- Betrachtet der Künstler das Motiv aus der Nähe oder mit etwas Abstand aus der Ferne?
- Befinden sich lebendige Figuren in der Landschaft oder von Menschenhand geschaffene Bauwerke?
- Wie setzt der Maler den visuellen Effekt des Wassers in einem Gemälde vom Meer um?
- Projiziert der Künstler eine freundliche oder feindliche Umgebung?
- Ist die Anwesenheit eines Menschen wichtig, um die Größe der Szenerie erahnen zu können?

PORTRÄTS

-

**Porträts zeigen mehr als nur das Aussehen
einer Person oder Gruppe.**

-

Künstler malen Porträts bereits seit vielen Jahrhunderten und tun es auch heute noch. Porträts sind aus zwei Gründen beliebt: Die Abgebildeten lassen ihre Züge gern für die Nachwelt im Bild festhalten, und die Betrachter nutzen sie gern, um herauszufinden, wie die Menschen in der Vergangenheit ausgesehen haben.

GRUPPENPORTRÄTS

Porträts müssen nicht unbedingt Einzelpersonen zeigen, es können auch Gruppen sein. Im 16. und 17. Jahrhundert gaben in Holland Personen des öffentlichen Lebens wie Stadträte, Mitglieder von Gilden etc. gern Gruppenporträts in Auftrag.

Die frühesten Gruppenporträts zeigen Abteilungen der Schützengilde; ein typisches stammt von Cornelis Anthonisz aus dem Jahr 1533 (rechts oben). Jedes Mitglied der Schützengilde leistete seinen Beitrag zum Honorar für den Maler und erwartete dafür, klar und möglichst originalgetreu porträtiert zu werden. Die genaue Darstellung jedes Einzelnen und die gleiche Behandlung aller Gruppenmitglieder entsprach zwar dem Vertrag des Malers mit dem Auftraggeber, das entstandene Bild war jedoch wenig aufregend. Es ist ungefähr genauso langweilig wie ein gestelltes Klassenfoto aus der Schule, in dem alle in drei Reihen aufgestellt sind und in die Kamera schauen – eine ernste Anordnung von Einzelgesichtern, die durch ihre Vielzahl sogar etwas anonym wirken.

Solche Gruppenporträts wurden bis weit ins 17. Jahrhundert in Holland gemalt, allerdings waren die Künstler inzwischen sehr darauf bedacht, die Bilder an sich interessanter zu gestalten und damit nicht nur ihre Kunden zufriedenzustellen.

Niemandem wird geschmeichelt, keiner hervorgehoben, aber jeder soll einzigartig und individuell sein.

Darum bemühte sich Frans Hals 1616 in seinem Porträt vom *Festmahl der Offiziere der Sankt-Georgs-Schützengilde* (rechts unten), ein eher lebendiges und aufregendes Bild zu schaffen. Statt alle Personen statisch um den Tisch zu platzieren, ließ er sie gemeinsam einen besonderen Moment erleben: die Flaggenparade. (Die Gruppen holländischer Offiziere, die sich so locker zum Dinner einfanden, hatten ansonsten hohe Positionen im Militär inne.) Das Banner selbst brachte etwas Farbe und einen starken diagonalen Akzent in die bereits sehr lebendige Komposition.

Cornelis Anthonisz
Bankett einer Schützengilde, 1533
Tafelbild in Öl,
130 x 206 cm
Museum für Geschichte, Amsterdam

Die Mitglieder der Schützengilde sind in düsteres Blau, Braun und Schwarz gekleidet. Der Maler hatte den Auftrag, die Gesichter möglichst originalgetreu darzustellen.

Frans Hals
Festmahl der Offiziere der Sankt-Georgs-Schützengilde, 1616
Öl auf Leinwand,
175 x 324 cm
Frans Hals Museum, Haarlem

Hals nutzte die gemeinsame Flaggenparade, um eine ansonsten statische Szene zu beleben. Die leuchtenden rot-weißen Schärpen der Männer machen das Bild optisch attraktiver.

Zwar gelang Hals ein spannenderes Werk als das von Anthonisz, dennoch erfüllte er die Anforderungen des Auftraggebers und porträtierte jedes Mitglied der Gilde originalgetreu und lebendig. Niemandem wird geschmeichelt, keiner hervorgehoben, aber jeder soll einzigartig und individuell sein. Das erwarten wir für gewöhnlich von einem Porträt: Es soll genau zeigen, wie eine Person aussieht.

EINE PERSON MIT ANDEREN AUGEN SEHEN

Diese Erwartungen sind aber vielleicht doch etwas naiv. Werfen wir einen Blick auf zwei Porträts von derselben Person, Maria Portinari (unten und rechts). Beide wurden sorgfältig von höchst kompetenten flämischen Künstlern gemalt, beide zeigen ungefähr dieselben Züge. Dennoch sind beide in ihrem Charakter so verschieden, dass es schwerfällt, sich die echte Maria Portinari vorzustellen.

Hans Memling
*Porträt von Maria
Portinari*, ca. 1470
Öl auf Holz, 44 x 34 cm
Metropolitan Museum of
Art, New York

**Memling widmete
sich den umfangrei-
chen Details in Maria
Portinaris Halskette
mehr als der Persönlich-
keit, die sich hinter den
Gesichtszügen verbirgt.**

Hugo van der Goes
Maria Portinari, Detail aus
dem *Portinari-Triptychon,*
ca. 1479, Tafelbild in Öl,
253 x 141 cm
Uffizien, Florenz

**Nur wenige Jahre
nach Memling schuf
Hugo van der Goes ein
tiefgründigeres, wenn
auch vielleicht nicht so
hübsches Bild von
Maria Portinari.**

Das frühere Porträt (links) wurde ca. 1470 von dem Maler Hans
Memling geschaffen, das spätere (von ca. 1479) geht auf Hugo
van der Goes zurück (oben). Hugo van der Goes' Porträt gehört zu
einem dreiteiligen Altarbild, dessen Mitteltafel die Anbetung Jesu
durch die Hirten zeigt (S. 88–89). Die Geldgeber, die das Gemälde
in Auftrag gegeben hatten, sind auf den Flügeln zu sehen: Tommaso Portinari mit seinen Söhnen zu seiner Linken und seiner Frau
Maria und ihrer Tochter auf der rechten Seite. Die Menschen jener
Zeit wollten, dass man sie als gläubige, gottergebene Menschen
in Erinnerung behält, die die Heilige Familie verehren. Die großen
Bilder ihrer Schutzheiligen im Hintergrund wirken wie Bilder von
Sponsoren.

Beim Porträt von Maria Portinari hat Hugo van der Goes kein noch
so kleines Detail außer Acht gelassen. Er kombinierte unendlich
viele winzige Pinselstriche, um ihre hohlen Wangen, ihre lange Nase
und ihren intensiven Gesichtsausdruck darzustellen. Im Gegensatz
dazu fehlt Memlings Porträt jegliche Tiefe, jedes Gefühl, das in
Hugo van der Goes' Porträt durchaus zur Geltung kommt. Dabei
hat sich Memling ebenso viel Mühe gegeben wie Hugo van der
Goes; das Gemälde ist ebenso erlesen wie sorgfältig angefertigt.
Darum fragen wir uns, ob Memling seinem Modell schmeicheln
wollte, oder ob Hugo van der Goes ihrem vielleicht eher oberfläch-
lichen Charakter selbst etwas mehr Tiefgang geben wollte. Zeigt uns
eines der Porträts überhaupt, wie Maria Portinari wirklich aussah?

Wie eine Person aussieht, ist das eine; wie sie gesehen werden
möchte, ist das andere. Für Personen des öffentlichen Lebens ist das
zweite meist viel wichtiger als das erste. Wir wissen, wie heutige Politi-
ker schwer an ihrem »Image« arbeiten. Mitglieder früherer Königshäu-

Jean Clouet
Franz I., ca. 1530
Tafelbild in Öl,
96 x 74 cm
Musée du Louvre, Paris

**Der satte rote Hinter-
grund und die feinen
Kleider betonen den
Reichtum und die
Macht des Königs von
Frankreich.**

Tizian
Franz I., 1539
Öl auf Leinwand,
109 x 89 cm
Musée du Louvre, Paris

**Tizian war aufgrund
seiner eindrucksvollen
Gemälde von Herrschern
ein gefragter Mann.
Seine Bilder zeigten die
Macht und Majestät
des Königs äußerst
eindrucksvoll.**

ser waren in diesem Punkt nicht anders. Für königliche Porträts war die physische Übereinstimmung mit dem Original nur die eine Seite des Auftrags: In seinem Porträt muss der König auf jeden Fall wie der König aussehen.

Hat das der französische Maler Clouet in seinem Porträt von Franz I. von Frankreich erfolgreich kommuniziert (gegenüber)? Der König ist wertvoll gekleidet und seine Person dominiert das Bild. Im Vergleich zu Tizians großartigem Porträt (oben) wird jedoch ein entscheidender Unterschied deutlich. Die freche Drehung des königlichen Kopfes, seine majestätische Körperhaltung, selbst die befehlende Strenge der Schultern in Tizians Porträt zeigen Qualitäten eines Helden. Zwar saß Tizian seinem königlichen Modell nicht direkt gegenüber (er malte anhand einer Medaille mit dem Profil des Königs), seine gesamte Konzeption und sein atemberaubender Pinselstrich lassen Clouets Werk nahezu gekünstelt wirken. So verwundert es kaum, dass die Könige

Links: Pablo Picasso
Ambroise Vollard, 1910
Öl auf Leinwand,
91 x 65 cm
Puschkin-Museum,
Moskau

Während er die ästhetische Wirkung des Kubismus untersuchte, malte Picasso ein Porträt seines Kunsthändlers Vollard, in dem er dessen wichtigste Züge in diesem nicht sehr vielversprechenden Stil festhielt.

Rechts: Pablo Picasso
Ambroise Vollard, 1915
Graphit auf Papier,
47 x 32 cm
Metropolitan Museum of
Art, New York

Picasso war unheimlich vielseitig und immer auch ein meisterhafter Zeichner. Einige Jahre später schuf er dieses eher konventionelle Porträt von Vollard.

und Kaiser von Tizian gemalt werden wollten und dass spätere ähnlich begabte Meister (wie Rubens und van Dyck) äußerst gefragt waren. Schließlich konnten sie ihren königlichen Modellen eine Aura ungezwungener Größe mitgeben, wie es nur meisterhafte Hofmaler vermochten.

EIN PORTRÄT ALS KUNSTWERK

Manchmal ist ein Porträt in erster Linie ein Kunstwerk; dass es eine Person darstellt, ist dann sekundär. Das ist z. B. bei Picassos Porträt des Kunsthändlers Vollard der Fall (gegenüber). Picasso malte das Porträt 1910, damals vertiefte er sich ganz in die Entwicklung des Kubismus, eines neues Stils. Er und einige seiner Freunde nahmen Cézannes Auffassung, ein Künstler sollte die Kegel, Kugeln und andere geometrische Formen nachempfinden, die natürlichen Erscheinungen zugrunde liegen, sehr wörtlich, und gingen einen Schritt weiter. Darum sind nicht nur das Gesicht und der Körper Vollards in scharf abgewinkelte und facettierte Formen unterteilt, sondern auch der Raum um ihn herum. Die uralte Trennung von Figur und Hintergrund wurde aufgehoben und die gesamte Fläche der Leinwand als homogenes Ganzes behandelt. Das Bild wird so zu einer Art Einheit, die selten in der gegenständlichen Kunst zu finden ist. In der abstrakten Kunst ist sie eher verbreitet (wie Pollock, S. 14). Dennoch ist Picassos Gemälde ein starkes, doch unerwartetes Beispiel für – wenn auch undefinierte – Tiefe, Raum und gar Volumen. Die größte Überraschung ist vielleicht, wie deutlich die Gesichtszüge und die Persönlichkeit Vollards aus den kantigen, gebrochenen Formen hervortreten. Fünf Jahre später schuf Picasso ein weiteres Porträt von Vollard (S. 39); eine feine konventionelle Zeichnung. Die Figur und der Hintergrund sind deutlich voneinander zu unterscheiden. Der Mann, sein Stuhl, seine Kleidung, seine Umgebung – alle sind eindeutig erkennbar. Dennoch stellt sich die Frage, ob die Persönlichkeit wirklich klarer zu erkennen ist als im früheren kubistischen Porträt (S. 38).

Manchmal soll das Porträt vor allem den Charakter der gezeigten Person abbilden.

AUSGEDACHTE PORTRÄTS VON PERSONEN

Manchmal soll das Porträt vor allem den Charakter der gezeigten Person abbilden. In solchen Fällen spielen weder das physische Aussehen der Person noch die Art und Weise eine Rolle, wie er bzw. sie dargestellt werden möchte. Beispiele dafür finden wir noch heute täglich in politischen Comics, die in Zeitschriften abgedruckt werden – wobei diese meist eher als Karikaturen denn als Charakterbilder zu verstehen sind. Die Künstler wollen den Charakter der Person viel tiefgreifender beschreiben.

Besonders klar wird das, wenn Künstler um Porträts von Menschen gebeten werden, die sie nie gesehen haben. Einer Tradition zufolge, die bis in die Antike zurückreicht, wurde dem Text eines Buches ein Bild vom Autor vorangestellt. Wenn es sich bei dem Buch um eines der Evangelien handelte – was im Mittelalter häufig der Fall war –, stand der Künstler vor einem Problem: Keiner wusste, wie die Evangelisten aussahen. Der Maler musste sein Porträt auf frühere (ebenso imaginäre) Darstellungen aufbauen oder konnte versuchen, sich den Charakter des Evangelisten vorzustellen, und sich überlegen, wie er beim Aufschreiben der Worte Gottes wohl ausgesehen haben könnte. Das Bild rechts zeigt den Evangelisten Markus beim Schreiben des Evangeliums. Der Heilige sitzt hinter seinem Tintenfass, das Buch aufgeschlagen auf dem Schoß. Die Brauen sind zusammengezogen, während er zum Himmel schaut,

Unbekannter Künstler
St. Markus an seinem Pult, Detail aus dem Ebo-Evangeliar, ca. 816–835
Tinte und Pigmente auf Pergament, 18 x 14 cm
Bibliothèque Municipal, Epernay

Da es keine zeitgenössischen Darstellungen der Evangelisten gibt, mussten sich die Illustratoren biblischer Texte ihr Aussehen vorstellen und sich eine Darstellung ausdenken, in der sie ihre göttliche Inspiration von höherer Stelle erhielten.

Rembrandt van Rijn
Aristoteles mit einer Büste von Homer, 1653
Öl auf Leinwand,
143,5 x 136,5 cm
Metropolitan Museum
of Art, New York

Rembrandt ignorierte erhalten gebliebene antike Porträts des Philosophen und schuf eines nach seiner eigenen Vorstellung einer höchst nachdenklichen Person, die über dem Bild des großen Poeten brütet.

wo sein Symbol (der geflügelte Löwe) mit einer Textrolle ermutigend über ihm schwebt.

Erstaunlicherweise gehören die imaginären Porträts zu den bewegendsten der Malerei. Zum Beispiel Rembrandts Porträt von *Aristoteles mit einer Büste von Homer* (links). Aristoteles war ein berühmter griechischer Philosoph aus dem 5. Jh. v. Chr., zeitweilig Berater Alexanders des Großen, König von Mazedonien. In der Antike wurde Aristoteles bereits porträtiert, allerdings lehnte Rembrandt seine Züge nicht an vorhandene Porträts an. Dieser komplexe Charakter mit dem sorgenvollen Ausdruck ist aus näheren, direkteren Erfahrungen abgeleitet. Aristoteles ist nicht wie ein altertümlicher Philosoph, sondern wie ein zeitgenössischer Höfling gekleidet. Seine Hand berührt die goldene Kette, die er zum Zeichen königlicher Gunst trägt – eine Anspielung auf sein Verhältnis zu Alexander –, dennoch schaut er gedankenverloren in die Ferne. Seine rechte Hand ruht auf der Büste von Homer, dem großen blinden Dichter, dessen Arbeiten die griechische Kultur so grundlegend beeinflussten und dessen Held (Achilles) ein Modell für Alexander selbst war.

Die Marmorbüste von Homer im Gemälde ist aus einem antiken Porträt übernommen – doch auch sie ist imaginär, denn sie entstand erst sechs Jahrhunderte nach Homers Tod. Keiner weiß, wie der Poet wirklich ausgesehen hat, aber der (unbekannte) Bildhauer hatte ein Gespür für die Macht seiner Poesie und konnte wohl eines der eindrucksvollsten Porträts schaffen, das aus der Antike überliefert ist – obwohl es dem Mann kaum ähnlich sieht, den es darstellt.

SCHLÜSSELFRAGEN

- Versucht der Künstler, etwas über den Charakter seines Modells mitzuteilen?
- Schmeichelt der Künstler seinem Modell, indem er es wichtiger oder attraktiver als in Wirklichkeit darstellt?
- Wie frei kann der Künstler das Bild des Modells nach seinem persönlichen Stil oder Vorlieben verzerren?
- Wie stichhaltig ist ein imaginäres Bild, das sich der Künstler ausdenkt, als Porträt?

ALLTÄGLICHES

-

**Darstellungen des Lebens der einfachen Leute
und Bilder von alltäglichen Dingen führen häufig zu
aufschlussreichen und unerwartet
bewegenden Kunstwerken.**

-

Bescheidene Alltagsszenen wurden in einigen Epochen als würdelos betrachtet und taugten nicht als Motive für ernsthafte Bilder, auch wenn sie im Mittelalter auf die Ränder von Manuskripten oder im klassischen Griechenland auf Keramik gezeichnet wurden. Zu anderen Zeiten liebten es jedoch sowohl die Mäzene als auch die Künstler, den Alltag um sich herum darzustellen.

GENREMALEREI

Jan Steen
Der liederliche Haushalt,
ca. 1668
Öl auf Leinwand,
77 x 87,5 cm
Wellington Museum,
Apsley House, London

Dieses farbenfrohe und detailreiche Gemälde ist voller Menschen verschiedenster Herkunft und unterschiedlichen Alters: Herren und Diener, jung und alt, brav und ungezogen – ungezogen auf unterschiedlichste Weise.

Holländische Kunstsammler im 17. Jahrhundert zum Beispiel liebten die Genremalerei (auch Sittenmalerei) ganz besonders. Die zahlreichen Bilder, die die Nachfrage befriedigen sollten, waren trotz ihrer wenig bemerkenswerten Motive sowohl schön als auch faszinierend.

Holländische Maler zeigen uns Kneipenschlägereien, ausufernde Familienfeiern, elegante Unterhaltung für die Reichen, fröhliche Schlittschuhläufer auf dem Eis, Hausfrauen bei der Alltagsarbeit – alle Facetten des Lebens zu jener Zeit.

Je länger man schaut, desto mehr amüsante Details entdeckt man.

Jan Steens *Der liederliche Haushalt* (links) ist ein gutes Beispiel. Laut der Uhr an der Tür ist es fünf Minuten vor fünf, und das Licht des späten Nachmittags sickert durch das Kreuzfenster. Der Hausherr hat gut gespeist und genießt seine Tonpfeife nach dem Mahl. Eine reich gekleidete üppige Dame – die seine Frau sein kann ... oder nicht –, bietet ihm ein Glas Wein an. Er wirft dem Betrachter einen Blick zu, die Hand an der Hüfte, ein Leuchten in den Augen. Die Wirtschafterin ist am anderen Ende des Tisches eingeschlafen und bekommt nicht mit, dass sich der neben ihr kniende Junge am Inhalt ihrer Geldbörse bedient.

Karten liegen am Boden verteilt, ebenso riesige Austernschalen, eine Schiefertafel und der achtlos hingeworfene Hut des Hausherrn. Rechts finden wir eine Fülle von Brot und Käse und einen schmackhaften Braten, für den sich der Hund interessiert. Je länger man schaut, desto mehr amüsante Details entdeckt man. Der neugierige Nachbar, der aus seinem Fenster heraus dem Dienstmädchen zuschaut, das hinter dem Rücken des Hausherrn mit dem Musiker flirtet; die beiden Kinder rechts, von denen eines provokant eine Münze emporhält; und schließlich der Affe auf dem Himmelbett, der mit den Gewichten der Uhr spielt. Vielleicht ist es gar nicht fünf vor fünf! Wer achtet in einem solchen Haushalt schon auf die Zeit?

Jan Steen wollte nicht nur ein interessantes Bild schaffen. Er hatte auch vor, eine Moral zu kommunizieren: Das schändliche Verhalten der Erwachsenen liefert ein schlechtes Beispiel für die Kinder und wirkt sich sogar auf die Bediensteten aus; der Hund wird sich gleich seinem Appetit hingeben und selbst der Affe »verschwendet« Zeit.

In diesem Gemälde wirft Jan Steen einen ironischen Blick auf die wohlhabenden Leute. In anderen Arbeiten wählte er einfache Menschen als Motive, deren Verhalten er eingehend in seinem eigenen Gasthaus beobachten konnte.

ARBEIT AUF DEN FELDERN

Ein Gemälde, das ein Jahrhundert früher entstand, 1565, zeigt das Leben und Arbeiten des Volkes auf dem Land (oben). Pieter Bruegel hat das Wichtigste an der Ernte zusammengefasst: die unheimlich schwere Arbeit, die Männer mit ihren Sensen links und die Frauen, die die Garben binden, rechts; die einfachen Freuden des Essens und Trinkens an der Gruppe im Vordergrund; und vor allem den erschöpften Bauern, der am Fuße des Baumes ein Nickerchen hält.

Pieter Bruegel der Ältere
Die Kornernte (August, aus
Die Jahreszeiten), 1565
Öl auf Holz,
116,5 x 159,5 cm
Metropolitan Museum of
Art, New York

Der Vordergrund dieser weiten Sommerland-schaft zeigt die schwere Arbeit der armen Land-bevölkerung und illus-triert ihre anspruchsvolle Tätigkeit ebenso wie die willkommenen Pausen zwischendurch.

ARBEIT IN DER STADT

In der Vergangenheit bedeutete Arbeit vor allem Landwirtschaft, heutzutage dagegen meist Industrie. Das Leben in der Stadt und Fabrikarbeit scheinen als Kunstmotive eher ungeeignet zu sein, aber Lowry ließ sich durch solche Überlegungen nicht beeinflussen und setzte sich lebhaft mit seiner Umgebung auseinander. Selbst indem er frierende, müde Menschen zeigt, die über die baumlosen Flächen zwischen hohen Gebäuden (unten) nach Hause trotten, konnte er die Schönheit des Musters herausstellen, das sich selbst in der tristesten Umgebung finden lässt.

L. S. Lowry
Coming from the Mill,
1930
Öl auf Leinwand,
42 x 52 cm
The Lowry Collection,
Salford

Dieser Künstler setzt die kleinen, müden Figuren der Fabrikarbeiter auf dem Weg in treffenden Kontrast mit ihrer starr geometrischen, unwirtlich bebauten Umgebung.

-

Frierende, müde Menschen trotten nach Hause.

-

Die Not der armen Stadtmenschen – schlecht gekleidet, hungrig und leidend – wird von Daumier mit großer Leidenschaft in seinem Gemälde *Ein Wagen der dritten Klasse* aus den 1860er Jahren dargestellt (umseitig). Zu diesem Thema kehrte Daumier mehrfach zurück.

Die dunklen, trüben Farben und die harten, unregelmäßigen Konturen zwingen dem Betrachter die düstere Stimmung und das geduldige Ausharren der eng zusammengepferchten Passagiere auf den harten Holzsitzen förmlich auf. Zwar sind wenige Details in diesem unvollendeten Gemälde zu erkennen, dennoch sind die Umstände und die Atmosphäre durchaus klar.

WINTER AUF DEM LAND

Im Gegensatz dazu erstrahlt die Illustration der Brüder von Limburg für den Monat Februar (rechts) in einem reich verzierten Stundenbuch für einen betuchten adligen Förderer im frühen 15. Jahrhundert in grellen Farben und mit exquisiten Details. Hier zittern die Bauern in der Winterkälte. Drei in der hölzernen Schutzhütte – deren Vorderwand der Maler wegließ, damit wir hineinschauen können –, ums Feuer gekauert, befreien ihre unterkühlten Körper eher ungraziös von ihrer Kleidung, um besser von der Wärme des Feuers profitieren zu können. Eine Frau bläst in ihre kalten Hände, während sie sich von rechts nähert; ein Mann hackt energisch Holz, während ein anderer mit einem Esel zur entfernten Stadt reist. Die hungrigen Vögel picken die mageren Krumen vom Boden und die Schafe drängen sich in ihrem Stall aneinander.

Das Leben der einfachen Menschen wurde für den hohen Herrn sehr elegant dargestellt, denn dieser hatte gefordert, dass sein

Honoré Daumier
Ein Wagen der dritten Klasse, ca. 1862–1864
Öl auf Leinwand,
65,4 x 90,2 cm
Metropolitan Museum of Art, New York

Daumier verwendete harte, unregelmäßige Konturen, um die Formen und Gesichter der müden Reisenden im düsteren Wagen der 3. Klasse darzustellen.

Brüder von Limburg
Februar aus dem *Stundenbuch des Herzogs von Berry*, 1413–1416
Pergament, ganzseitig
28 x 21 cm
Musée Condé, Chantilly

Arme Bauern zittern vor Kälte, aber für den adligen Herrn wurden alle Spuren ihrer hässlichen Armut unterdrückt.

Besitz schön gemalt würde. Der Anblick eines realistischeren Porträts der Bewohner in schäbiger Kleidung und ärmlicher Behausung
hätte ihm nicht gefallen.

—

**Alles zusammen zeigt die entspannte Atmosphäre und die
einfachen Freuden, die sowohl Maler als auch Modelle genossen.**

—

Pierre-Auguste Renoir
Das Frühstück der Ruderer,
1881
Öl auf Leinwand,
130 x 173 cm
Phillips Collection,
Washington, DC

**Mit leichtem Strich
stellte Renoir eine
fröhliche Gruppe junger
Leute bei der seltenen
Gelegenheit eines
Ausflugs dar.**

IN DER FREIZEIT

Leben ist nicht nur Arbeit und Leid; die Menschen entspannen
und spielen auch. Manche Maler stellten lieber diese glücklichen
Momente dar, und keiner tat das mit mehr Freude als Renoir. Darum
ist sein Gemälde *Das Frühstück der Ruderer* von 1881 (oben) das
reinste Vergnügen. Ein warmer Sommertag – die Männer haben sich
bis aufs Unterhemd ausgezogen –, der Tisch ist mit Weinflaschen
und -gläsern überladen. Hübsche Mädchen tragen ihre neuen Hüte.
Alle sind in guter Stimmung, unterhalten sich, summen vor sich hin
oder genießen einfach die Freuden eines Sommerausflugs. Die Farben sind hell, weich und leuchtend, der Pinselstrich leicht und frei.

Alles zusammen zeigt die entspannte Atmosphäre und die einfachen Freuden, die sowohl Maler als auch Modelle genossen – denn die Ruderer waren Renoirs Freunde und die charmante junge Dame, die mit dem Hund spielt, sollte seine Frau werden.

Diese Zeichnung ist angesichts der Einfachheit der Mittel bemerkenswert, mit denen drei Lebensphasen dargestellt werden.

Rembrandt van Rijn
Laufen lernen,
ca. 1635–1637
Rötelkreide auf Papier,
10,3 x 12,8 cm
British Museum, London

Mit ein paar schnellen Rötelkreidestrichen fängt Rembrandt ein wichtiges Ereignis im Leben dreier Personen ein, das jede von ihnen anders erlebt – je nach Alter und Erfahrung.

Eine Zeichnung von Rembrandt (unten) kommt ruhiger daher. Ein kleines Kind unternimmt die ersten Schritte. Seine Mutter, stark und erwachsen, bückt sich und hält seine Hand. Sie dreht sich sanft zu ihm um und streckt den anderen Arm ermutigend aus, um ihm die Richtung zu weisen. Rechts im Bild sehen wir die alte Großmutter. Sie geht vom Alter gebückt, hält aber auch eine Hand des Kindes, obwohl sie ihm nur begrenzt helfen kann. Sie wendet ihr Gesicht, um ihren Enkel unendlich zärtlich anzuschauen. Das Kind begibt sich auf ein großes Abenteuer – schüchtern. Mit sehr

Pablo Picasso
Die ersten Schritte, 1943
Öl auf Leinwand,
130 x 97 cm
Yale University Art
Gallery, New Haven,
Connecticut

**Indem er natürliche
Formen verzerrte,
konnte Picasso unter die
Oberfläche vordringen
und die Mischung aus
Angst und Triumph des
Kindes bei seinen ersten
Schritten darlegen.**

geschickten Strichen fängt Rembrandt den ängstlichen Gesichtsausdruck des Kindes ein. Die Zeichnung ist angesichts der Einfachheit der Mittel bemerkenswert, mit denen die drei Lebensphasen
dargestellt werden, verschiedene Haltungen und das feine Netz
zärtlicher Gefühle, das Menschen miteinander verbindet.

**Ein großer Fuß, alle Zehen angespannt, wird nach vorn gestreckt;
das Gesicht des Kindes ist vor Unsicherheit verzerrt – wo wird der
Fuß wohl landen?**

Um den ersten Schritt eines Kindes geht es auch in Picassos
Gemälde (links). Zwar hat es nichts vom feinen Realismus in
Rembrandts Zeichnung, dennoch strotzt es ebenso von Gefühl.
Rembrandt deutete die Unsicherheit des Kindes an; Picasso äußert
sie explizit. Ein großer Fuß, alle Zehen angespannt, wird nach vorn
gestreckt; das Gesicht des Kindes ist vor Unsicherheit verzerrt – wo
wird der Fuß wohl landen? Das kleine Mädchen streckt die Hände
nach der Seite aus, Finger ausgebreitet, Arme steif. Hinter ihm ragt
ruhig die Mutter auf, umgibt es. Unauffällige, mütterliche Hände
halten die des Kindes; das liebevolle Gesicht der Mutter zeigt das
Mitgefühl mit dem Kind, gleichzeitig große Zuversicht.

Ein außergewöhnliches Bild, in dem die Mutter das Kind als
schützender Kokon umgibt und das Kind, von seinen Gefühlen völlig
vereinnahmt, die helfenden Hände der Mutter ganz selbstverständlich
annimmt. Die Verzerrungen der Realität gestatten es dem Künstler,
unter die Oberfläche von Ereignissen und Emotionen vorzudringen.

SPIELER – ANTIK UND MODERN

Schließlich sehen Sie hier zwei Bilder von Männern am Spieltisch
(S. 56 und 57). Auf den ersten Blick wirken beide so ähnlich, dass
der Abstand von fast 2.000 Jahren kaum zu glauben ist. Das ältere
fand man in einer Taverne in Pompeji, der Stadt, die 79 n. Chr.
bei einem Ausbruch des Vesuv zerstört wurde. Es ist eine schnelle
Skizze, künstlerisch wenig anspruchsvoll, aber voller Leben und pas-
send zur Umgebung. Es stammt aus einer Serie größerer Wandge-
mälde, die ein Gasthaus schmückten und die Aktivitäten der Kunden
darstellten – Spielen, Streiten und schließlich Hinausgeworfenwer-
den. Solche Gemälde waren gleichzeitig Werbung und Dekoration,
Einladungen zum Genuss, verbunden mit dem feinen Hinweis, dass
ungehöriges Verhalten nicht geduldet wird.

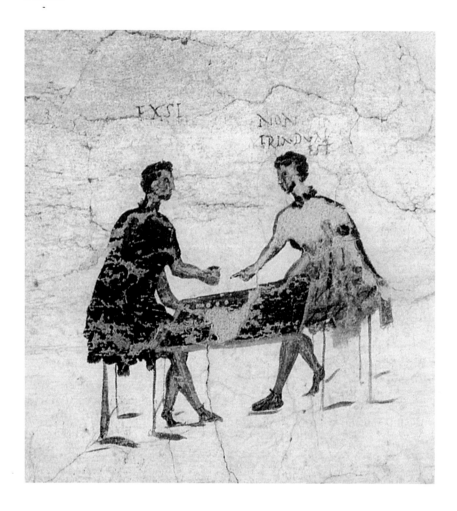

Cézannes *Die Kartenspieler* (rechts) ist ein auf den ersten Blick einfaches, aber äußerst ernsthaftes Kunstwerk. Möglicherweise hat sich Cézanne von einem französischen Künstler aus dem 17. Jahrhundert (Le Nain) inspirieren lassen; er überarbeitete das Thema mehrfach und reduzierte die Personenzahl schließlich auf zwei, wie hier zu sehen. Das Motiv selbst ist eher trivial, Cézanne führt es durch seine sorgfältige Analyse der Form und die feine Balance der Elemente mit Würde und Größe ein. Die beiden Männer sitzen sich gegenüber – starke vertikale Akzente zu beiden Seiten der Leinwand. Der jeweils vordere Arm sieht aus wie zwei Zylinder, zusammen beschreiben sie die Form eines flachen »W«, bei dem sich die leicht geneigten Linien mit den Vertikalen verbinden. Im gesamten

Maler aus dem antiken Rom
Männer beim Würfelspiel,
50–79 N. CHR.
Fresko, 50 x 205 cm
Museo Nazionale, Neapel

Die schnelle Skizze auf der Wand einer Taverne zeigt die Spieler an einem Tisch.

Bild betont Cézanne die einfachen geometrischen Formen der Flasche, des Tischs, der Fensterbank und selbst der Hüte und Knie der Spieler. Die Farben sind gedämpft und streng. Insgesamt wirkt das Bild ordentlich, was auf die Anordnung der klaren, unkomplizierten Formen zurückzuführen ist.

STILLLEBEN

Paul Cézanne
Die Kartenspieler,
ca. 1893–1896
Öl auf Leinwand,
47 x 56,5 cm
Musée d'Orsay, Paris

Durch die sorgfältige Analyse der zugrunde liegenden Formen stellt Cézanne ein einfaches Motiv in Würde und Balance dar.

Cézannes Interesse an den geometrischen Formen, die gewissen Objekten zugrunde liegen und gemalten Arrangements eine gewisse Ordnung geben, machen ihn zu einem Meister der Stillleben (umseitig). Eine Schale mit Früchten, ein Glas, ein Tuch auf einem Tisch, diese einfachen Elemente stellen ihn vor eine Herausforderung: Wie gibt der Maler diesen scheinbar zufälligen Objekten eine optische Ordnung?

Stillleben wurden bereits in der Antike gemalt. Die Entdeckung der realistischen Kunst in der Renaissance, gepaart mit dem großen Respekt für die antiken Künstler, führte zu einem Wiederaufleben dieser Art von Malerei. Stillleben zeigen manchmal Berge von

Früchten (rechts), silbrige Fische auf einem Teller, mattfarbene Wildvögel an einer Wand oder wasserfallartige, brillant gefärbte Blumenarrangements.

Erst die Meisterschaft des Malers weist uns plötzlich auf die künstlerischen Werte einfacher Dinge hin.

Stillleben können auch aus polierten Zinnschiffen, transparenten Gläsern, wertvollen Teppichen, Büchern, Krügen, Pfeifen, dem Tintenfass eines Schriftstellers oder einem Malerpinsel und einer Palette bestehen. Jegliche unbelebte Objekte eignen sich für Stillleben, und erst die Meisterschaft des Malers weist uns plötzlich auf die künstlerischen Werte einfacher Dinge hin. Das machte uns Andy Warhol in den 1960er Jahren auf beeindruckende Weise deutlich. Er brachte uns dazu, die Suppendose in unserer Speisekammer mit neuen Augen zu sehen, nachdem er Campbells Suppendosen absolut naturgetreu abgebildet hatte (S. 60).

Paul Cézanne
Stillleben mit Obstschale,
1879–1882
Öl auf Leinwand,
46,4 x 54,6 cm
Museum of Modern Art,
New York

Für Cézanne waren die Elemente eines Stilllebens eine Herausforderung für ernsthafte Formstudien.

Jan Davidsz. de Heem
*Stillleben mit Frucht
und Hummer,*
späte 1640er Jahre
Öl auf Leinwand,
70 x 59 cm
Rijksmuseum,
Amsterdam

**Die holländischen Maler
des 17. Jahrhunderts
schwelgten in opulenten
Darstellungen schwerer
Speisen und Blumen als
passendem Schmuck für
wohlhabende Haushalte.**

Andy Warhol
100 Soup Cans, 1962
Sprayfarbe auf Leinwand,
183 x 132 cm
Albright-Knox Art
Gallery, Buffalo

Warhols Ausflug ins Dosenregal rückte das künstlerische Potential alltäglicher Dinge in den Vordergrund.

Pieter Claesz
Stillleben mit Schädel und Schreibfeder, 1628
Öl auf Holz, 24 x 36 cm
Metropolitan Museum
of Art, New York

In einem strengen Gemälde wie diesem erinnern uns der nackte Schädel, das leere, umgestoßene Glas und die ausgebrannte Lampe an die Vergänglichkeit alles Seins.

EIN STILLLEBEN MIT BOTSCHAFT

Stillleben können eine moralische Botschaft vermitteln, eine ernste, sogar tragische Note (unten). Der Schädel imitten der wunderschön gemalten Objekte ist eine Erinnerung an die Vergänglichkeit. Er soll den Geist auf die bewegenden Worte aus der Bibel richten: »Nichtigkeit der Nichtigkeiten; alles ist Nichtigkeit« (Prediger 1:2)

Solche *Vanitas*-Stillleben waren sehr beliebt. Als die holländischen und flämischen Maler reiche Arrangements von Blüten, Früchten, Fisch und Vögeln malten – wunderschön ausgearbeitet –, kommunizierten sie materiellen Wohlstand und lobten die schönen Dinge des Lebens (S. 59). Ihre Ernsthaftigkeit wirft einen Schatten auf alle Stillleben und erinnert den Betrachter: »Am guten Tage sei guter Dinge, und am bösen Tag bedenke: Diesen hat Gott geschaffen wie jenen, damit der Mensch nicht wissen soll, was künftig ist.« (Prediger 7:14)

SCHLÜSSELFRAGEN

- Welche Motive eignen sich für einen Maler der Alltagsgegenstände?
- Kann ein Künstler ein grobes oder hässliches Motiv attraktiv machen?
- Können unbelebte Motive eine Bedeutung transportieren?
- Wie beeinflusst der Stil des Künstlers seinen Darstellungsansatz?

GESCHICHTE
UND MYTHOLOGIE

-

Heldenhafte und tragische Ereignisse regen zum
Erschaffen machtvoller Bilder an.

-

Geschichte und Mythologie liefern Künstlern große, würdevolle Motive. Manchmal haben sich Künstler selbst von historischen Ereignissen, entweder ihrer eigenen Zeit oder der Vergangenheit, inspirieren lassen und Bilder davon gemalt. Häufiger jedoch haben machtvolle Akteure auf der Bühne der Geschichte Künstler dazu angehalten, die Ereignisse zu dokumentieren, in denen sie eine bedeutende Rolle gespielt haben.

EREIGNISSEN BEDEUTUNG VERLEIHEN

Das erstaunlichste Werk, mit dem an relativ aktuelle historische Ereignisse erinnert werden soll, ist die riesige, mehr als 70 Meter lange Stickarbeit, die wir heute als *Teppich von Bayeux* kennen (rechts und S. 66–67). Er wurde vermutlich in England für Bischof Odo von Bayeux hergestellt, kaum 20 Jahre nach den Geschehnissen, die er darstellt. Der lange, schmale Stoffstreifen ist mit zahllosen Szenen bestickt, die in detaillierten Bildern die Geschichte der Eroberung Englands im Jahre 1066 durch Wilhelm, Herzog der Normandie (genannt Wilhelm der Eroberer), erzählten.

Der Teppich gleicht fast einem Comic Strip, in dem die Ereignisse aufeinander folgen. Eingerahmt ist er von einem dekorativen Rand, der Vögel, Tiere, Monster und erschlagene Männer zeigt.

Die Geschichte beginnt vermutlich im Jahr 1064 mit einer Szene, in der König Eduard der Bekenner Earl Harald als Boten nach Frankreich schickt. Wir sehen Harald auf seinem Weg durch England zur Küste und dann auf den Schiffen, die ihn über den Kanal bringen. Der Teppich gleicht fast einem Comic Strip, in dem die Ereignisse aufeinander folgen. Verziert ist er oben und unten mit einem dekorativen Rand, der vor allem Vögel, Tiere, Monster und erschlagene Männer zeigt.

Im Hauptteil findet man erklärende Legenden auf Latein, die dem Betrachter verstehen helfen, was passiert, wer beteiligt ist und wo das Ganze stattfindet. Haralds Abenteuer in Frankreich sind aufgezeichnet und man sieht vielerlei Kämpfe. Dann werden Wilhelms Vorbereitungen der Invasion von England ausführlich dargestellt, bis hin zu den Bäumen, die gefällt wurden, um die nötigen Boote zu bauen. Schließlich sehen wir die Schlacht von Hastings, in der Bischof Odo selbst auftaucht, der einen handfesten und durchaus nicht nur spirituellen Beitrag zu Wilhelms Sieg liefert.

Unbekannte Künstler
Detail aus *Die Flotte
überquert den Kanal* aus
dem *Teppich von Bayeux*,
ca. 1073–1083

Der kleine Ausschnitt auf dem umseitigen Bild zeigt, wie Wilhelms Truppen sich einschiffen und Segel setzen. Man erkennt die Wörter »*NAVIGIO*« und »*MARE*«. Sie gehören zu dieser Inschrift: »*Hic Willem Dux in magno navigio mare transivit et venit ad Pevenesae*« (»Hier überquerte Herzog Wilhelm in einem großen Schiff das Meer und traf in Pevensey ein«; Wilhelms Flaggschiff wurde weiter rechts dargestellt und ist hier nicht zu sehen.)

Der *Teppich von Bayeux* macht aus der Geschichte ein faszinierendes Spektakel.

VERGANGENE EREIGNISSE

Umseitig:
Unbekannte Künstler
*Die Flotte überquert den
Kanal* aus dem *Teppich von
Bayeux*, ca. 1073–1083
Wollstickerei auf Leinen,
Höhe 51 cm
Centre Guillaume le
Conquérant, Bayeux

**Der *Teppich von
Bayeux* ist eine riesige
Stickarbeit, auf der
die Geschichte der
normannischen
Eroberung Englands
in bildhafter
Ausführlichkeit
dargestellt wird.**

Auch die vergangene Geschichte konnte spätere Künstler inspirieren, wie etwa Jacques-Louis David, der 1787 ein Bild vom Tod des Sokrates malte (S. 68). Sokrates, ein menschenfreundlicher und gedankenvoller Mann, war 399 v. Chr. in Athen zum Tode verurteilt worden, weil er »fremde Götter einführte und die Jugend korrumpierte«. Er hinterließ eine ihm ergebene Gruppe von Freunden und Anhängern, von denen der bekannteste der Philosoph Plato ist. Plato verfasste einen Dialog, der den stillen Mut beschreibt, mit dem Sokrates seinem Ende gegenübertrat – er musste einen Becher mit einem tödlichen Trank aus Schierling trinken. Der Dialog hat den Titel *Phaidon*. Darin erzählt Phaidon, der am Tag von Sokrates' Tod bei ihm im Gefängnis war, einem Bekannten, wie Sokrates seine letzten Stunden verbracht habe und schließlich dem Tod gegenübergetreten sei. Am Ende sagt Phaidon:

So kam der Diener der Elfmänner, stellte sich zu ihm und sagte: »O Sokrates, Dich aber habe ich auch sonst schon in dieser Zeit erkannt als den Edelsten, Sanftmütigsten und Trefflichsten von

allen, die sich jemals hier befunden haben, und auch jetzt weiß ich sicher, dass du nicht mir böse sein wirst, denn du weißt wohl, wer schuld daran ist, sondern jenen. Nun also, denn du weißt wohl, was ich dir zu sagen gekommen bin, lebe wohl und suche so leicht als möglich zu tragen, was nicht zu ändern ist.« Da weinte er, wendete sich um und ging.

Etwas später hob Sokrates den Becher an die Lippen und trank heiter das Gift. Phaidon berichtet:

Und von uns waren die meisten bis dahin ziemlich imstande gewesen, sich zu halten, dass sie nicht weinten, als wir aber sahen, dass er trank und getrunken hatte, nicht mehr. Sondern auch mir selbst flossen Tränen mit Gewalt, und nicht tropfenweise, sodass ich mich verhüllen musste und mich ausweinen, nicht über ihn jedoch, sondern über mein eigenes Schicksal, was für eines Freundes ich nun sollte beraubt werden. Kriton war noch eher als ich aufgestanden, weil er nicht vermochte, die Tränen zurückzuhalten. Apollodoros aber hatte schon früher nicht aufgehört zu weinen, und nun brach er vollends in laute Klagen aus, … und es war keiner von allen Anwesenden, den er nicht durch sein Weinen erschüttert hätte, als nur Sokrates selbst.

Jacques-Louis David
Der Tod des Sokrates, 1787
Öl auf Leinwand,
129,5 x 196 cm
Metropolitan Museum
of Art, New York

Der patriotische Eifer in den Jahren vor der Französischen Revolution veranlasste David, heroische Gestalten aus dem klassischen Altertum zu glorifizieren, wie etwa Sokrates, die standhaft an ihren Überzeugungen festhielten.

Dies ist also Platos lebendige und bewegende Beschreibung der Szene. Urteilen Sie selbst, ob David sie in seinem Gemälde erfolgreich wiedergegeben hat.

EREIGNISSE, DIE DEM KÜNSTLER NAHE SIND

Dem spanischen Maler Goya lag sehr viel an den Ereignissen seiner eigenen Zeit. Seine Erinnerung an *Die Erschießung der Aufständischen* (unten) ist eine der machtvollsten Verdammungen der Brutalität des Krieges, die je geschaffen wurden. Ein scheinbar endloser Zug von spanischen Patrioten quält sich den Hügel hoch, ihrem Tod entgegen. Unbewaffnet und zerrauft, haben sie alles für ihr Land gegeben und nun bleibt nichts mehr, als dafür zu sterben. Vorn liegen die bereits Erschossenen, grausam zugerichtet. Unsere Aufmerksamkeit wird von dem Mann im weißen Hemd gefangen, der kurz vor der Exekution steht. Vor ihm ist eine Blutlache zu sehen. In einer letzten leidenschaftlichen Geste wirft er seine Hände nach oben – völlig schutzlos. Ihm gegenüber steht die lange, gerade Reihe des gesichtslosen Erschießungskommandos, die Gewehre ordentlich ausgerichtet, bereit zum Feuern.

Francisco Goya
Die Erschießung der Aufständischen, 1814
Öl auf Leinwand,
266 x 345 cm
Museo del Prado, Madrid

Erschüttert von den Gräueltaten, deren Zeuge er war, schuf Goya ein kraftvolles Bild des brutalen Massakers der Napoleonischen Invasionsarmee an unbewaffneten spanischen Kämpfern.

Nicht weniger bewegt von den Geschehnissen seiner Zeit war ein anderer Spanier: Picasso. Die spanisch-republikanische Regierung (die kurz darauf im Bürgerkrieg besiegt wurde) beauftragte ihn, ein Bild für den spanischen Pavillon der Weltausstellung 1937 in Paris zu malen. Empört über die barbarische Zerstörung der alten baskischen Stadt Guernica durch faschistische Bomber machte er die Leiden ihrer Bürger zum Thema (unten). Anders als Goya versuchte Picasso, die Angst und das Leiden durch symbolhaftere Formen zu vermitteln, grob verzerrt für größtmögliche Ausdruckskraft.

Auf den ersten Blick wirkt das Bild chaotisch – wie die Stadt selbst, nachdem Flugzeug um Flugzeug seine tödliche Last abgeladen und auf die fliehenden Menschen gefeuert hatte (es gibt Filmaufnah-

Pablo Picasso
Guernica, 1937
Öl auf Leinwand,
349,3 x 776 cm
Museo Reina Sofia,
Madrid

Wochenschau oder Journalistenfotos konnten die Verwüstung und den Terror durch die Flächenbombardierung von Guernica nicht so eindringlich festhalten wie die ausdrucksstarken Verzerrungen in Picassos Gemälde.

men der Bombardierung). Doch langsam enthüllen sich sinnvollere Formen. Rechts ist eine schreiende Figur mit wild emporgerissenen Armen (wie der Mann im weißen Hemd bei Goya, S. 69). Die Frau darunter rennt nach links – so eilig, dass ihr Bein zurückzubleiben scheint. Das Pferd in der Mitte hat in seiner Flanke einen schrecklichen Riss. In einer früheren Skizze ließ Picasso ein kleines geflügeltes Pferd aus der Wunde aufsteigen: ein Zeichen der Hoffnung. Im fertigen Bild verwarf er diese Idee jedoch. Unter dem Pferd liegt ein Krieger, seine Augen im Tod verschoben. Eine Hand hält ein zerbrochenes Schwert und eine Blume, die andere ist hilflos ausgestreckt – leer.

Ganz links verdreht eine Frau ihren Kopf und schreit ihre Qual heraus; in ihren Armen hält sie ihr totes Baby (links und umseitig).

Ihr verzerrtes Gesicht ist eine Maske des Schmerzes – ein ver-
zweifelter Schrei, sichtbar gemacht. Das tote Baby hängt wie eine
Puppe in ihren Armen, so schlaff und leblos, dass sogar seine Nase
herunterhängt. Dieses schmerzvolle Bild wirkt ganz anders als die
zärtliche Szene von Mutter und Kind, die Picasso 15 Jahre zuvor
geschaffen hatte (rechts)!

Genau wie Picasso verurteilte der flämische Maler Rubens die
Verheerungen des Krieges und versuchte, eine Antikriegsaussage
zu treffen. Damals war jedoch an expressive Verzerrungen nicht zu
denken. So dachten Maler noch nicht, und Auftraggeber hätten
dies auch nicht toleriert. Rubens malte daher eine Allegorie namens
Die Folgen des Krieges (S. 74). Dafür nutzte er die traditionellen

Pablo Picasso
Detail: Mutter und Kind
aus *Guernica* (siehe
S. 70–71)

**In diesem Detail nutzt
Picasso andere Mittel als
zeichnerischen Realis-
mus, um die Qual einer
Mutter darzustellen, die
den Körper ihres toten
Kindes hält.**

Pablo Picasso
Mutter und Kind,
1921–1922
Öl auf Leinwand,
96,5 x 71 cm
Privatsammlung

**Picasso, der vor kurzem
selbst Vater geworden
war, wollte hier die
zärtliche Beziehung
zwischen Mutter und
Kind erkunden.**

Figuren der alten griechischen und römischen Götterwelt, speziell
den Kriegsgott Mars und die Liebesgöttin Venus. Den Gottheiten gab er Personifizierungen des Ortes (Europa) und des Bösen
(Pest und Hungersnot) bei. Diese symbolischen Figuren treffen in
einer gewalttätigen, dramatischen Szene zusammen. Rubens selbst
erklärte die Bedeutung in einem Brief:

> Die Hauptfigur ist Mars, der den geöffneten Tempel des Janus
> verlassen hat (der nach römischer Sitte in Friedenszeiten
> geschlossen blieb) und mit Schild und blutbeflecktem Schwert
> drohend voraneilt. Seine Geliebte Venus, die gemeinsam mit
> ihren Cupiden versucht, ihn zurückzuhalten, findet wenig

Peter Paul Rubens
Die Folgen des Krieges,
1638
Öl auf Leinwand,
206 x 342 cm
Palazzo Pitti, Florenz

Beachtung. Von der anderen Seite wird Mars von der fackel-schwingenden Furie Alekto vorangezogen. Nahebei sind Monster, die Pest und Hungersnot verkörpern, die unzertrenn-lichen Partner des Krieges. Außerdem ist da eine Mutter mit ihrem Kind in den Armen, die andeutet, dass Fruchtbarkeit, Fortpflanzung und Barmherzigkeit durch den Krieg vereitelt werden, der alles korrumpiert und zerstört ... Die gramerfüllte Frau in Schwarz mit zerrissenem Schleier, all ihrer Juwelen und ihres Schmuckes beraubt, ist die unglückliche Europa, die seit so vielen Jahren schon Plünderungen, Gräueltaten und Elend ertra-gen muss, die so schädlich für jedermann sind, dass es unnötig ist, ins Detail zu gehen ...

Im 17. Jahrhundert dienten die alten griechischen und römischen Götter oft als Symbole für abstrakte Konzepte. Mithilfe dieser und anderer Personifikationen schuf Rubens eine komplexe gemalte Allegorie als sein persönliches visuelles Argument gegen die Schrecken des Krieges.

Viele Worte für ein Bild. Die Metaphorik ist den meisten von uns fremd und der visuelle Eindruck, trotz der Wucht der Bewegungen und Gesten, weniger unmittelbar als bei Goya und Picasso (S. 69 und 70–71). Doch die Gefühle waren nicht weniger tief empfunden.

MYTHEN AUS DER KLASSISCHEN WELT

Die Welt der heidnischen Götter und die wunderbaren Geschichten der klassischen Mythologie werden seit der Renaissance geschätzt. Besonders Venus war beliebt. Manchmal wählten Künstler sie nur, um weibliche Nackte malen zu können; dann wieder stellten sie sie in das Zentrum von Geschichten. So zeigten etwa Tizian und Rubens sie jeweils auf eigene Weise, wie sie sich verzweifelt an ihren Liebhaber Adonis klammert, der ihrer Umarmung entfliehen und auf die Jagd gehen möchte (siehe S. 144, oben und unten).

Die Geschichte wird von Ovid erzählt, dessen *Metamorphosen* eine wunderbare Auswahl an Mythen enthalten. Ovid berichtet, dass Venus den Adonis mit der Geschichte von Hippomenes und Atalanta zu betören sucht. Atalanta, die Schnellste aller Sterblichen, wurde von einem Orakel gewarnt, sich keinen Liebhaber zu nehmen. Daher forderte sie potenzielle Bewerber zu einem Rennen und versprach dem Gewinner ihre Liebe, dem Verlierer jedoch den Tod. Ihre Schönheit war so groß, dass viele kamen, um sie zu werben, und viele starben. Hippomenes bat die Göttin Venus um Hilfe, die ihm drei goldene Äpfel und ihren Segen schenkte. Schon bald nach Beginn des Rennens setzte sich Atalanta an die Spitze. Ovid erzählt:

> Schon brach heiß aus dem matten Mund der keuchende Atem; und die Säule noch weit! Da endlich warf des Neptunus Spross von den Früchten, den dreien des heiligen Baumes, die Eine. Staunend stutzte die Maid; nach dem glänzenden Apfel verlangend, lenkte sie ab von der Bahn und hob das rollende Gold auf. Und der Mann überholt, von Beifall hallen die Sitze. Raschen Laufes jedoch holt sie Verzug und verlorene Zeit wieder ein und lässt ihn zum zweiten Male im Rücken. Aufgehalten aufs neu durch den Wurf des folgenden Apfels ...

Und das ist der Augenblick, den Guido Reni darstellte (unten). Hippomenes hat gerade den zweiten Apfel weggeworfen und Atalanta weicht von ihrem Kurs ab, um ihn aufzuheben. Sie hat bereits einen

Guido Reni
Hippomenes und Atalanta,
ca. 1625
Öl auf Leinwand,
191 x 264 cm
Gallerie Nazionale di
Capodimonte, Neapel

Der römische Dichter Ovid gab klassische Mythen so lebendig wieder, dass Künstler wie Guido Reni oft versucht waren, seine Worte in Gemälde zu fassen, während andere es sogar mit Skulpturen probierten.

Makron
Griechische Rotfiguren-
Vase, die *Das Urteil
des Paris* zeigt,
ca. 480 v. Chr.
Keramik, 13 x 37 cm
Antikenmuseum,
Staatliche Museen
Preußischer Kulturbesitz,
Berlin

**Reine Linien, ein Mini-
mum an Merkmalen und
einige aussagekräftige
Gesten reichen dem grie-
chischen Vasenmaler, um
die bekannte Geschichte
zu erzählen.**

Lucas Cranach der Ältere
Das Urteil des Paris,
ca. 1528
Öl auf Holz, 102 x 71 cm
Metropolitan Museum of
Art, New York

**Um den Mythos zu
illustrieren, in dem der
Trojanische Prinz Paris
wählen soll, welche
der drei Göttinnen die
schönste ist, versuchte
Cranach, die Geschichte
in seine Zeit zu verlegen.
Dazu kleidete er die
männlichen Figuren in
zeitgenössische Kleidung
und malte die nackten
Göttinnen entsprechend
den eleganten Standards
des 16. Jahrhunderts.**

Apfel, kann aber nicht widerstehen. Hippomenes hält den dritten
Apfel noch versteckt in seiner Linken. Am Ende setzt er ihn ebenfalls ein und gewinnt das Rennen und das Mädchen.

Nicht alle Künstler schafften es, sowohl den Geist als auch
die Form einer klassischen Geschichte so gekonnt einzufangen
wie Reni. Der deutsche Maler Lucas Cranach versuchte sich
im 16. Jahrhundert an einer der berühmtesten aller heidnischen
Geschichten: dem Urteil des Paris. Paris, Sohn des Königs von Troja,
sollte einer von drei Göttinnen den Preis der Schönsten zuerkennen
(auch hier wieder ein goldener Apfel): Juno, Minerva oder Venus
(links). Cranach versuchte, sich die Szene so lebhaft wie möglich
vorzustellen, allerdings wirkt das Ergebnis auf uns heute ein bisschen
komisch. Paris, ein eleganter Ritter seiner Zeit, sitzt unter einem
Baum und hält den Preis in der Hand. Merkur, der Götterbote, wird
hier als bärtiger alter Mann mit geflügeltem Helm dargestellt. Er
präsentiert Paris die drei lieblichen Göttinnen zur Begutachtung.

Um ihre Schönheit am besten zur Schau zu stellen, haben die drei
Göttinnen ihre Kleider abgelegt, nicht jedoch ihren Schmuck, und eine
von ihnen konnte sich auch nicht von ihrem modischen Hut trennen.

Das sieht alles ganz anders aus als auf dem unbefangenen Bild
desselben Ereignisses, das sich auf einer griechischen Vase aus dem
5. Jahrhundert v. Chr. findet (oben). Paris ist hier zwar auch ein
Prinz von Troja, doch wurde er als Hirte aufgezogen. Er sitzt links
zwischen seinen Tieren. Da Schafehüten zuweilen etwas langweilig
ist, vergnügt er sich beim Leierspiel.

Überrascht schaut er zu Merkur (mit Flügelschuhen), der von
rechts die drei Göttinnen heranführt: Minerva, erkennbar an Helm
und Speer, Juno, königliche Gattin des obersten Gottes Jupiter,

und Venus, umringt von kleinen, geflügelten Cupiden – eine klare Siegerin. Hier gibt es keine Farben. Die orangeroten Figuren heben sich deutlich vom schwarzen Hintergrund ab, doch die sicheren, fließenden Linien des Malers verleihen dieser einfachen Zeichnung eine einmalige Eleganz und Grazie.

Ein bezauberndes Gemälde von Botticelli (unten) zeigt wieder Venus und Mars. Sie sind nicht im Konflikt wie in Rubens' Allegorie (S. 74), sondern überaus friedlich. Mars schläft, der Krieg ist vergessen, während kleine Pans (zu erkennen an Hörnern und Ziegenohren) mit seiner Lanze und Rüstung spielen. Venus sitzt ihm gegenüber, wach und aufmerksam. Seit der Zeit des Homer haben klassische Autoren die Geschichte der verbotenen Liebe von Mars und Venus erzählt, einer ehebrecherischen Affäre, die schließlich vom betrogenen Ehemann der Venus, dem Gott Vulkan, entdeckt wurde. Man darf jedoch bezweifeln, dass Botticelli diesen Teil der Geschichte im Sinn hatte, vor allem, weil das Bild offenbar eine Hochzeitstruhe verzieren sollte.

Sandro Botticelli
Mars und Venus, ca. 1485
Tempera und Öl auf Holz,
69 x 173,5 cm
National Gallery, London

Botticelli bezog sich auf die astrologischen Assoziationen der römischen Götter Venus und Mars, als er die Allegorie des Friedens malte, der den Krieg bezwingt. Die kleinen Pans, die mit der Rüstung des Mars spielen, verweisen gleichzeitig auf ein verlorengegangenes klassisches Gemälde, in dem kleine Cupiden in gleicher Weise mit der Ausrüstung von Alexander dem Großen herumtollen.

Mars und Venus sind auch die Namen von Planeten, und in der Astrologie galt ihre Vereinigung als gutes Zeichen. Man glaubte, dass Venus in diesem Kontext Mars bezwingen und seine Bösartigkeit besänftigen könne, was augenscheinlich hier geschieht. Botticelli malte ebenso wenig wie Rubens (S. 74) eine einfache mythologische Darstellung, sondern nutzte die Figuren für eine Allegorie, die das ganze Gegenteil des Rubensschen Gemäldes ausdrückt.

SCHLÜSSELFRAGEN

- Wie exakt sollten Künstler historische Ereignisse darstellen?
- Sollten Künstler ihre persönlichen Gefühle über historische Ereignisse ausdrücken?
- Können Ideen effektiv mithilfe alter Gottheiten oder erfundener Personifizierungen vermittelt werden?
- Welche Hilfsmittel kann ein Künstler einsetzen, um einen Mythos oder eine andere Geschichte zum Leben zu erwecken?

DIE CHRISTLICHE WELT

-

**Für mehr als 1.000 Jahre war
die Katholische Kirche die großzügigste
Kunstmäzenin des Westens.**

-

Für mehr als 1.000 Jahre war die Katholische Kirche direkt oder indirekt die großzügigste Kunstmäzenin des Westens. Zahllose Maler erhielten Aufträge für eine Vielzahl von Kunstwerken, darunter große und beeindruckende Altarbilder, kleine tragbare Altäre für private Messen, Bleiglasfenster, Mosaike und Fresken sowie die Bebilderung und Verzierung von Bibeln und Gebetsbüchern.

THEMEN

Vielerlei Themen galten als angemessen. Die meisten entstammten dem Neuen Testament, vor allem Darstellungen der Kindheit Christi (S. 88–89, 90), der von ihm vollbrachten Wunder (S. 11, 131 und 133) und der Ereignisse rund um seine Kreuzigung und Auferstehung (S. 93–95, 97, 128–130 und 158). Ebenso beliebt waren aber auch fromme Bilder, für die es keinen biblischen Text gab, vor allem Bilder der Jungfrau Maria (der Madonna) mit dem Kind, umgeben von Heiligen (S. 136 und 138), genau wie Bilder von einzelnen Heiligen. Einigen von ihnen war möglicherweise eine eigene Kapelle geweiht, für die man einen passenden Altar benötigte (rechts und S. 121).

BILDER VON MÄRTYRERN

Der heilige Sebastian (rechts) war ein früher christlicher Märtyrer. »Märtyrer« ist das griechische Wort für »Zeuge«. Viele der frühen Christen wurden gezwungen, ihren Glauben zu bezeugen, indem sie ihr Leben opferten. So war es auch bei Sebastian. Gegen Ende des 3. Jahrhunderts war er Hauptmann der Prätorianer, der Leibgarde der römischen Kaiser. Als seine Bekehrung zum Christentum bekannt wurde, verlangte Kaiser Diokletian, der bezweifelte, dass ein Mann sowohl Christus als auch dem Kaiser dienen könne, dass Sebastian entweder seinen Glauben widerruft oder sich einem Exekutionskommando aus Bogenschützen stellen muss. Sebastian blieb seiner Religion treu und wurde an einen Pfahl gebunden, mit zahllosen Pfeilen erschossen und als vermeintlich tot zurückgelassen. Wundersamerweise überlebte er. Nach seiner Genesung bat Sebastian den Kaiser erneut um Duldung der Christen. Dieses Mal überließ Diokletian nichts dem Zufall und ließ Sebastian erschlagen.

Der heilige Sebastian wird meist an eine Säule (rechts) oder einen Baum (S. 121) gebunden gezeigt, gespickt mit Pfeilen. (Pfeile assoziierte man übrigens mit der Pest: Schon in heidnischer Zeit soll der Gott Apollo mit seinen Pfeilen Seuchen über die Menschen gebracht haben. Es überrascht daher kaum, dass der heilige Sebastian oft zum Schutz vor der Pest angerufen wurde.) Frühe Darstel-

Andrea Mantegna
Hl. Sebastian, 1455–1469
Öl auf Holz, 68 x 30 cm
Kunsthistorisches
Museum, Wien

**Mantegna richtete zwar
die Aufmerksamkeit auf
den nackten Körper des
Heiligen, unterstrich
jedoch raffiniert den
standhaften Glauben
des Märtyrers, indem
er im Hintergrund den
Rückzug der achtlosen
Bogenschützen zeigt.**

lungen zeigten den Körper des Heiligen mit so vielen Pfeilen, dass
er fast wie ein Igel aussah. In der Renaissance jedoch mit ihrem neu
erwachten Interesse an der klassischen Antike und der Darstellung
von Nacktheit wurden es deutlich weniger Pfeile, und die Schönheit
des jungen Männerkörpers rückte in den Blickpunkt.

Mantegnas Gemälde von 1455–1469 (Vorseite) ist ein gutes
Beispiel für diese Entwicklung. Kaum etwas lenkt von der präzise
erfassten Anatomie des Heiligen ab, dessen Hüftachse sich entgegen der Schulterachse neigt. Diese Körperhaltung (auch *Kontrapost*
genannt) wurde in der klassischen Antike eingeführt, um den
Anschein von Dynamik zu erwecken. Mantegna, dessen Interesse
an der Antike weit über die klassische Pose seiner Figur hinausging,
platzierte Fragmente antiker Bildhauerkunst in seinem Gemälde und
band den Heiligen an einen zerbrochenen Rundbogen römischer
Art. Damit frönte er nicht nur seiner persönlichen Leidenschaft für
archäologische Studien und verwies auf die Zeit, in der Sebastian
tatsächlich lebte, sondern deutete auf den endgültigen geistlichen
Sieg des Christentums über das Heidentum hin, dessen Relikte dem
Zerfall anheimgegeben sind.

DAS LEBEN CHRISTI

Eines der beliebtesten Themen aus dem Neuen Testament, das sich
in der religiösen Malerei findet, ist Mariä Verkündigung (rechts,
S. 126–127). Die Geschichte wird im Lukasevangelium erzählt:

> Und im sechsten Monat wurde der Engel Gabriel von Gott
> gesandt in eine Stadt in Galiläa, die heißt Nazareth, zu einer
> Jungfrau, die vertraut war einem Mann mit Namen Josef … und
> die Jungfrau hieß Maria. Und der Engel kam zu ihr hinein und
> sprach: Sei gegrüßt, du Begnadete! Der Herr ist mit dir!
>   Sie aber erschrak über die Rede und dachte: Welch ein Gruß
> ist das?
>   Und der Engel sprach zu ihr: Fürchte dich nicht, Maria,
> du hast Gnade bei Gott gefunden. Siehe, du wirst schwanger
> werden und einen Sohn gebären, und du sollst ihm den Namen
> Jesus geben. Der wird groß sein und Sohn des Höchsten
> genannt werden …
> Lukas I:26–32

Meist verbildlichten Maler diese Geschichte so wie Giovanni di
Paolo (rechts), indem sie den Engel mit Flügeln und strahlend zeigten, wie er der Jungfrau Maria ehrerbietig die Botschaft überbringt.

Giovanni di Paolo
*Mariä Verkündigung und
die Vertreibung aus dem
Paradies*, ca. 1435
Tempera auf Holz,
39 x 45 cm
National Gallery of Art,
Washington, DC

**Das plötzliche Erscheinen
des Engels Gabriel vor
der überraschten Maria
steht im Gegensatz zur
häuslichen Untätigkeit
des Josef vor dem Feuer
auf der rechten Seite
und der Szene auf der
linken Seite, in der Adam
und Eva für die Sünde
aus dem Garten Eden
vertrieben werden, von
der Jesus die Menschheit
erlösen soll.**

Maria wiederum wirkt demütig, andächtig und vielleicht ein bisschen überrascht vom plötzlichen Erscheinen des Engels.

Links in Giovanni di Paolos Bild (oben), in dem herrlichen Garten außerhalb des Gebäudes, sehen wir zwei nackte und bestürzte Figuren nach rechts eilen, angetrieben von einem resoluten Engel. Es sind Adam und Eva, und die kleine Hintergrundszene zeigt ihre Vertreibung aus dem Paradies. Sie haben die erste Sünde, die »Erbsünde« begangen, als sie vom Baum der Erkenntnis aßen, was Gott ihnen ausdrücklich verboten hatte. Damit haben sie ihr Recht auf den Garten Eden verwirkt und müssen ihn verlassen.

Der Grund für diese Szene im Hintergrund liegt darin, dass Christus, dessen baldige Geburt hier vorhergesagt wird, schließlich sein Leben geben wird, um die Menschen von der Erbsünde zu erlösen. Gottvater in der oberen linken Ecke des Bildes lenkt das Geschehen – die Vertreibung aus dem Paradies und die letztliche Erlösung durch das Leiden und das Opfer seines Sohnes Jesus.

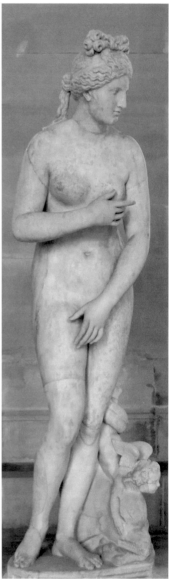

Die möglicherweise eindringlichste der zahlreichen Darstellungen der Vertreibung ist die von Masaccio etwa 1427 gemalte (gegenüber, links). Adam bedeckt sein Gesicht und geht gebeugt unter seiner Schande, während Eva ihre Verzweiflung und Seelenqual herausschreit.

Die Figur der Eva basiert auf einem antiken Figurentyp namens »Venus Pudica«.

Es ist nicht unmittelbar klar, dass dieses zutiefst berührende Bild ein Beispiel für das Interesse an der klassischen Antike und der Darstellung der Nacktheit ist, die sich später im 15. Jahrhundert unter anderem bei Mantegna (S. 83) deutlicher entwickelten. Ein genauerer Blick enthüllt jedoch, dass die Figur der Eva auf dem antiken Figurentyp der »Venus Pudica« (gegenüber, rechts) beruht, die durch wenige, aber wirkungsvolle Modifikationen ausdrucksvoll verwandelt wurde.

Masaccio
Die Vertreibung aus dem Paradies, ca. 1427
Fresko, Brancacci-Kapelle, Santa Maria del Carmine, Florenz

Masaccio drückte mit außerordentlicher Tiefe und Mitgefühl die Verzweiflung von Adam und Eva aus, als sie aus dem Paradies vertrieben werden.

Unbekannter Künstler
Kapitolinische Venus, Römische Kopie des hellenistischen Originals, 3. Jh. v. Chr.
Marmor, Höhe 187 cm
Musée du Louvre, Paris

Diese blasse Statue der Venus, ein Typ, der als »Venus Pudica« (schamhafte Venus) bezeichnet wird, bildete die Grundlage für Masaccios Figur der Eva. Er nahm einschneidende Änderungen vor, um ihren Seelenschmerz auszudrücken.

DIE GEBURT CHRISTI

»Die Geburt Christi« ist der Titel von Gemälden, die den neu geborenen Christus zeigen, der von seiner Mutter verehrt wird (S. 88–89). Auch Josef, Marias Mann, ist oft anwesend, zusammen mit zwei Tieren: dem Ochsen und dem Esel. Josefs Gegenwart ist leicht zu erklären, wohingegen weniger klar ist, weshalb Ochse und Esel so selbstverständlich zu dem Bild gehören. Das Lukasevangelium (2:7) sagt ausdrücklich, dass Maria Jesus nach seiner Geburt in Windeln wickelte und in eine Krippe legte, weil es sonst keinen Raum in der Herberge gab – Tiere werden nicht erwähnt. Ochse und Esel finden sich im Buch Jesaja in einer Passage, die als prophetisch galt und die Ankunft Christi ankündigte: »Ein Ochse kennt seinen Herrn und ein Esel die Krippe seines Herrn . . . « (Jesaja I:3).

Auch hier sehen wir wieder, wie das Alte Testament sich in das Denken einschleicht, das den Illustrationen des Neuen Testaments zugrunde liegt – und wie es manchmal sogar physisch im Hintergrund der Bilder selbst auftaucht. Das Gemälde von Hugo van der Goes (S. 88–89) zeigt mehr als nur die Geburt Christi – es stellt auch die Anbetung der Hirten dar. Wie Lukas schreibt:

Und es waren Hirten in derselben Gegend auf dem Felde bei den Hürden, die hüteten des Nachts ihre Herde. Und der Engel des

Herrn trat zu ihnen … sie fürchteten sich sehr. Und der Engel
sprach zu ihnen: Fürchtet euch nicht! Siehe ich verkündige
euch große Freude, die allem Volk widerfahren wird; denn euch
ist heute der Heiland geboren, welcher ist Christus, der Herr, in
der Stadt Davids. Und das habt zum Zeichen: ihr werdet finden
das Kind in Windeln gewickelt und in einer Krippe liegen.
Lukas 2:8–12

Die Hirten suchten das heilige Kind auf und begannen, es gemeinsam mit den Engeln anzubeten. Hugo van der Goes zeigt die Hirten,
wie sie sich von rechts der Heiligen Familie nähern, ihre Gesten
zeugen von Gefühlstiefe und Ehrfurcht. Maria kniet links in feierli-
cher Verehrung des Kindes, das isoliert in seiner Pracht in der Mitte
des Bildes liegt. Eine Gruppe Engel, elegant und reich gekleidet,
schwebt neben der Szene und stimmt in die Anbetung des kindli-
chen Erlösers ein. Van der Goes stellt die Engel in ihren seidenen
Kleidern und reich bestickten Umhängen in einen eindrucksvollen

Hugo van der Goes
Die Anbetung der Hirten,
vom *Portinari-Triptychon,*
ca. 1479
Tafelbild in Öl, Höhe
253 cm; Gesamtbreite
inklusive der Seitenflügel
594 cm
Uffizien, Florenz

**In diesem großen
Altarbild stehen die
ehrlichen Gesichter und
die bescheidene Kleidung
der Hirten im Gegensatz
zur glänzenden Schönheit
der Engel und der
kultivierten Eleganz der
von ihren Schutzheiligen
begleiteten Stifter.**

Kontrast zu der groben Kleidung und den gewöhnlichen Gesichtern der Hirten, einfacher Männer, die angesichts des im Strahlenkranz liegenden heiligen Kindes von Frömmigkeit überwältigt sind.

Das Altarbild war von Tommaso Portinari in Auftrag gegeben worden, der den Maler anhielt, Porträts von sich selbst und seiner Familie in das Bild aufzunehmen: Sie beten andächtig auf den Seitenflügeln, begleitet von ihren Schutzheiligen.

Engel verkündeten den Hirten die Geburt Christi, »weise Männer« aus dem Osten hingegen, die einen Stern aufsteigen sahen, erkannten selbst, was dies bedeutete. Sie reisten nach Bethlehem und »… fanden das Kindlein mit Maria, seiner Mutter, und fielen nieder und beteten es an und taten ihre Schätze auf und schenkten ihm Gold, Weihrauch und Myrrhe.« (Matthäus 2:11)

In Gemälden, die diese Geschichte abbilden, sind es meist drei Männer und sie werden üblicherweise als »die Weisen« bezeichnet. Künstler, die die Reise der Weisen malten, zeigten sie oft in Begleitung eines reichen und vielgestaltigen Gefolges aus exotischen

Hieronymus Bosch
Die Anbetung der heiligen drei Könige, ca. 1475
Tempera und Öl auf Holz, 71 x 56,5 cm
Metropolitan Museum of Art, New York

Die Anbetung des Christus-Kindes war als Thema bei Malern ebenso beliebt wie in Weihnachtsliedern. Die Darstellung der drei weisen Männer aus dem Orient bot Künstlern die Möglichkeit, die Menschheit in ihrer reichen Vielfalt zu erkunden.

Menschen und Tieren. Die Anbetung der Weisen war ebenfalls ein beliebtes Thema. Als sich die Zahl 3 für die Anzahl der Weisen etabliert hatte, bemühten sich die Maler, ihre Figuren zu variieren, um ihre Allgemeingültigkeit anzudeuten. Einer der Weisen wurde meist als Jüngling, einer als Mann und der dritte als Greis dargestellt. Oft waren zwei der Weisen weiß und der dritte schwarz.

So malte Hieronymus Bosch die Weisen (links). Der weißhaarige, weißbärtige Greis kniet ungeachtet seines hohen Alters und seiner Würde vor dem heiligen Kind und bietet sein kostbares Geschenk dar. Rechts stehen der Weise im Mannesalter und sein jugendlicher schwarzer Begleiter und warten, bis sie an der Reihe sind, dem Kind zu huldigen und ihre Gaben zu überreichen. Josef kniet links vor dem Stall, in dem der Ochse liegt; der Esel ist nur von hinten zu sehen. In der Mitte sitzt die Madonna mit dem Baby Jesus auf ihrem Schoß. Sie ruht auf einem goldenen Tuch, das trotz des bescheidenen Schauplatzes verdeutlicht: Sie ist die Mutter Gottes.

DIE TAUFE

Das Markusevangelium erzählt, wie Johannes der Täufer als Bote Christus den Weg bereitete. Viele Menschen kamen zu ihm, um Vergebung für ihre Sünden und die Taufe der Buße zu empfangen.

Und er predigte und sprach: Es kommt einer nach mir, der ist stärker als ich; und ich bin nicht wert, dass ich mich vor ihm bücke und die Riemen seiner Sandalen löse. Ich taufe euch mit Wasser; aber er wird euch mit dem Heiligen Geist taufen.
Und es begab sich zu der Zeit, dass Jesus aus Nazareth in Galiläa kam und ließ sich taufen von Johannes im Jordan.
Und alsbald, als er aus dem Wasser stieg, sah er, dass sich der Himmel auftat und der Geist wie eine Taube herabkam auf ihn.
Und da geschah eine Stimme vom Himmel: Du bist mein lieber Sohn, an dir habe ich Wohlgefallen.
Markus I:7–11

Die Taufe Christi wird mit vortrefflicher Klarheit in der Kuppel einer arianischen Taufkapelle im italienischen Ravenna gezeigt (Umseite). Jesus steht in der Mitte des Mosaiks fast bis zum Bauch im Fluss. Johannes der Täufer im typischen Kamelhaargewand streckt die Hand aus, um ihn zu taufen, während gleichzeitig der Heilige Geist in Form einer Taube über Jesu Kopf erscheint. Die klassische Figur links verkörpert den Fluss Jordan, voller Ehrfurcht angesichts des Wunders, das sich in seinen Fluten ereignet hat.

DIE KREUZIGUNG

Nachdem er viele Wunder vollbracht hatte, ging Jesus nach Jerusalem. Hier feierte er mit seinen Jüngern das jüdische Passah-Fest, bei dem er sein letztes Abendmahl mit ihnen teilte, bevor er verraten wurde. Auf diesem Abendmahl setzte Jesus das Sakrament der Eucharistie ein (S. 128–130).

Oft malten Künstler Bilder des Abendmahls an die Wände klösterlicher Refektorien, sodass die Mönche oder Nonnen bei ihren gemeinsamen Mahlzeiten das Gefühl hatten, Christus und seine Jünger speisten mit ihnen. Solcherart sind die Bilder von Castagno und Leonardo (S. 128–129), auf die wir später näher eingehen werden.

Nach dem Mahl ging Jesus hinaus und verbrachte die Nacht im Gebet, da er wusste, dass er bei Morgengrauen verraten werden würde. Und tatsächlich hatte Judas mit seinem Bruderkuss bereits dafür gesorgt, dass die Häscher ihn erkennen würden (S. 158).

Die Kreuzigung selbst, Jesus' Hinnahme eines grauenvollen Todes um der Errettung anderer willen, ist das zentrale Bild des christlichen Glaubens. Künstler überlegten immer wieder, wie sie dieses überaus wichtige Ereignis malen sollten. Manche versuchten, den extremen körperlichen Schmerz Christi zu zeigen, wie in Grünewalds herzzerreißendem Bild (rechts). Jesus' Kopf fällt nach vorn, sein Gesicht spiegelt seine Erschöpfung, sein Körper

Byzantinischer Mosaikkünstler
Die Taufe Christi, 6. Jh. Mosaik im zentralen Medaillon der Kuppel des Baptisteriums der Arianer, Ravenna

Diese schlichte Darstellung der Taufe ist ungewöhnlich, weil in ihr das Wasser des Flusses Jordan die Nacktheit des Heilands nur unzureichend verhüllt.

Matthias Grünewald
Die Kreuzigung, Mitteltafel
des *Isenheimer Altars*,
ca. 1512–1516
Tafelbild in Öl und
Tempera, 376 x 534 cm
Musée Unterlinden,
Colmar

**Grünewald betonte die
Menschlichkeit Jesu
durch die anschauliche
Beschreibung des Leidens
und der körperlichen
Schmerzen, die er
erdulden musste.**

ist zerrissen und verletzt von den geschundenen Füßen (grausam zusammengenagelt) bis zu seinen schmerzgeplagten Fingern, die sich hoffnungslos in die Luft krallen. Zu seiner Linken bricht die Madonna in den Armen des Apostels Johannes zusammen, während die gramerfüllte Maria Magdalena (die Christus leidenschaftlich ergeben war) voller Kummer am Fuße des Kreuzes kniet. Auf der rechten Seite weist Johannes der Täufer ruhig darauf hin, dass der am Kreuz Gestorbene der wahre Erlöser ist. Johannes der Täufer war bei der Kreuzigung eigentlich nicht anwesend, er war bereits weit zuvor enthauptet worden. Seine Präsenz ist symbolisch und spielt auf seine Rolle als Vorbote Christi an.

Andere Künstler verweisen hingegen auf die spirituelle Bedeutung hinter der Qual der Kreuzigung, wie etwa der Gestalter eines Mosaiks aus dem 11. Jahrhundert (Umseite). Hier zeigt der Körper Christi bis auf eine tiefe Wunde in der Seite keine Zeichen körperlichen Leidens, was der Beschreibung im Johannesevangelium folgt (19:33–37). Dieser Künstler möchte lieber die Heilige Schrift erfüllt

Griechischer Mosaikkünstler
Kreuzigung, 11. Jh.
Mosaik in der Kirche des Klosters Daphni

Die Einfachheit und Ernsthaftigkeit in diesem Bild drücken die geistliche Bedeutung der Kreuzigung aus.

sehen als eine historische Szene darstellen. Die danebenstehenden Figuren der Jungfrau Maria und des Apostels Johannes drücken stillen Kummer und Hingabe aus. Christus zwischen ihnen wird in all seiner Schönheit aus Geist und Form gezeigt, wie er die Gottesprüfung der Kreuzigung besteht.

... Und als es schon Abend wurde ... kam Josef von Arimathäa ... bat um den Leichnam Jesu ... Und der kaufte ein Leinentuch und nahm ihn ab und wickelte ihn in das Tuch und legte ihn in ein Grab ... Aber Maria Magdalena und Maria, die Mutter des Jesus, sahen, wo er hingelegt wurde.
Markus 15:42–47

Michelangelo Merisi da Caravaggio
Die Grablegung Christi,
1603–1604
Öl auf Leinwand,
300 x 203 cm
Vatikanische Museen,
Rom

Caravaggios Darstellung der Grablegung Christi zeigt eindringlich die leidenschaftliche Trauer der Überlebenden beim Tod einer geliebten Person.

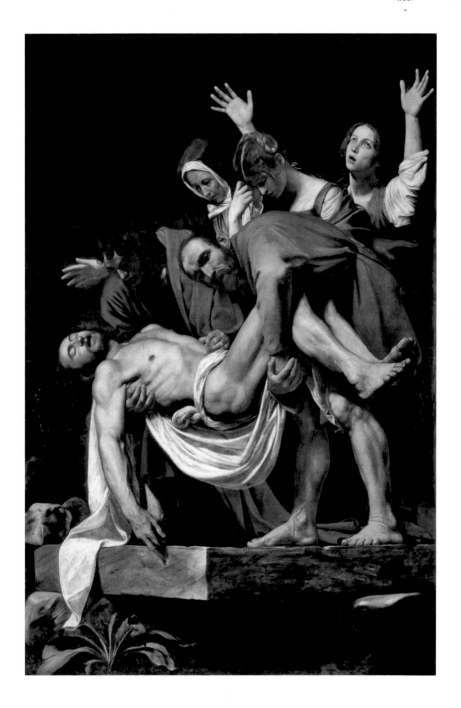

So beschreibt Markus die Grablegung Christi, ein herzergreifendes Motiv, das oft sehr bewegend von Künstlern wiedergegeben wurde. Caravaggio (S. 95) hat die Szene mit Ernst und berührender Einfachheit gemalt. Zwei Männer lassen den schlaffen Körper Christi hinab (die Evangelien sind sich uneins, wer genau zu diesem Zeitpunkt zugegen war), während drei wehklagende Frauen hinter ihnen stehen. Das Leinentuch, mit dem sein Körper verhüllt war, hängt unter Christus' schlaffem rechtem Arm. Von links unten nach rechts oben zeigen die Figuren im Bild ein stetes Anschwellen der Trauer – von Jesus' teilnahmslosem Gesicht über die bedauernden Männer und die zwei weinenden Frauen bis zur Geste der Verzweiflung der Frau im Hintergrund.

Piero della Francesca
Die Auferstehung,
ca. 1463, Fresko,
225 x 200 cm
Pinacoteca Civica,
Borgo San Sepolcro

In diesem Bild der Auferstehung vermittelt Piero della Francesca überzeugend das Gefühl der Unausweichlichkeit von Christi Triumph über den Tod.

DIE AUFERSTEHUNG

Keines der Evangelien beschreibt die Auferstehung. Sie erzählen lediglich, dass Christi Grab drei Tage nach der Kreuzigung leer aufgefunden wurde. Dennoch haben Künstler versucht sich vorzustellen, wie es gewesen sein muss, als Christus von den Toten auferstand. Die Bilder von der Auferstehung sind sehr vielfältig. Manche zeigen, wie Christus in einer hellen Flamme aus dem Grab schwebt, auf anderen erhebt er sich auf ruhigere Weise. Außerordentlich originell in seiner Kraft und Erhabenheit ist *Die Auferstehung*, gemalt von Piero della Francesca etwa 1463 (links). Die riesige Figur Christi steht kühn in der Mitte des Bildes; er schaut direkt auf den Betenden. Er hält inne, als er aus dem Grab steigt, er muss nicht eilen, da das Banner der Erlösung, das er trägt, für die Ewigkeit ist. Links steht ein toter Baum, das Land ist öde; rechts dagegen grünt es. Die Wachen, die im Vordergrund gelagert sind, schlafen noch. Das Wunder hat sich still vollzogen, wenn auch mit großartiger Unabwendbarkeit.

SCHLÜSSELFRAGEN

- Gibt es nur eine Möglichkeit, eine religiöse Szene darzustellen?
- Sollte ein Künstler seine persönlichen Gefühle in einem religiösen Gemälde offenbaren?
- Darf man Elemente des alltäglichen Lebens in einem religiösen Bild zulassen?

MUSTER AUF EBENEN FLÄCHEN

-

**Ein Bild muss nicht identisch sein
mit der Welt, wie wir sie sehen.**

-

Bei einem Besuch im Atelier des Malers Matisse bemerkte einst eine Dame: »Aber bitte, der Arm dieser Frau ist doch viel zu lang!« Matisse entgegnete höflich: »Madame, Sie täuschen sich. Das ist keine Frau, das ist ein Bild.«

Ein Bild muss nicht mit dem identisch sein, was wir sehen. Zum Beispiel kann es dekorativer sein, wie Matisse selbst in einem Gemälde wie *Rote Harmonie* zeigt (unten). Man kann die Elemente im Bild erkennen – den elegant gedeckten Tisch, das adrette Hausmädchen, das schön gemusterte Tischtuch und die Tapete, einen Stuhl, ein Fenster und den Blick hinaus auf Bäume und Rasen mit einem Haus in der Ferne. Aber Matisse malte nicht so, wie die Welt aussieht – warum sollte er? Ist das delikate Zusammenspiel der Muster nicht viel erfreulicher und vielleicht passender, um eine ebene Fläche zu verzieren?

Japanische Holzschnitte sind häufig Meisterwerke des harmonischen zweidimensionalen Designs. Zum Beispiel zeigt der Holzdruck rechts einen tanzenden Darsteller. Der Kopf ist nicht schwer zu erkennen, ebenso die linke Hand und der Fuß, der aus den Falten

Henri Matisse
Rote Harmonie, 1908
Öl auf Leinwand
180,5 x 221 cm
Eremitage, St Petersburg

Matisse spielte mit Farben und Formen, um erkennbare Szenen in Muster zu verwandeln, in denen Raum und Masse kaum eine Rolle spielen.

**Torii Kiyonobu I
(zugesprochen)**
Kabuki-Schauspieler, 1708
Holzdruck, Tinte auf
Papier, 55 x 29 cm
Metropolitan Museum
of Art, New York

**Wahrscheinlich als Poster
für das Kabuki-Theater
wurde dieser Holzschnitt
für die Betrachtung aus
der Ferne entworfen.
Das reich verzierte
Design impliziert die
schwingende Bewegung
des tanzenden Mimen,
der mit seinen wallenden
Gewändern ein Muster
fließender Kurven
erzeugt.**

Anonymer Buchmaler
Deckblatt aus einem
Bagdad-Koran,
1306–1307
Tinte, Wasserfarbe und
Gold auf Papier,
43,2 x 35,2 cm
Metropolitan Museum
of Art, New York

**Ohne auch nur die
Andeutung lebender
Kreaturen schafft dieser
islamische Künstler ein
aufregendes Design aus
geometrischen Mustern.**

des Gewandes herauslugt. Was uns jedoch fesselt, ist der anmutige
Moment, der durch den wirbelnden Kimono kommuniziert wird,
ebenso die spektakuläre Art und Weise, in der sich die schwung-
volle und aufwendige Dekoration in ein unerwartet komplexes und
charmantes Muster auflöst.

DEKORATIVE DESIGNS IM DIENST DER RELIGION

Harmonie von Linie und Farbe – ein flaches Muster auf einer ebenen Fläche (S. 100 und 101) – ist nicht nur für figürliche Darstellungen reserviert. Aufwendige Umsetzungen abstrakten Designs
wurden von islamischen Künstlern traditionell gepflegt. Denn

Englischer Buchmaler
Seite aus dem Evangeliar
von Lindisfarne,
ca. 700–721
Illustriertes Manuskript,
34 x 25 cm
British Library, London

**Zwar ist diese Seite
mit sich windenden,
schlangenähnlichen
Kreaturen gefüllt,
dennoch gibt das große
Kreuz in der Mitte dem
Design eine religiöse
Bedeutung.**

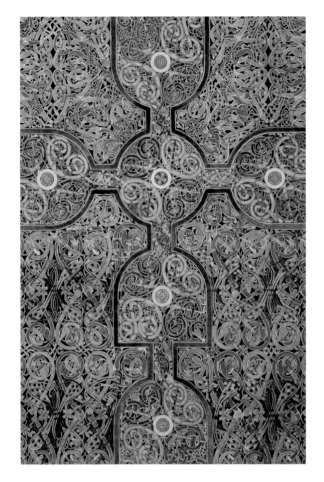

obwohl der religiöse Bann des Islam, lebende Kreaturen im Bild
darzustellen, nicht strikt umgesetzt wurde, ist er doch einflussreich
genug, um eine lange Tradition nicht-figürlicher Kunst anzuregen.
Die Seite des Koran (links) wird vor allem von dem Quadrat mit
Rechtecken darüber und darunter dominiert. Diese sind mit kleinen
blauen Elementen gefüllt, dasselbe Muster wie im achtzackigen
Stern in der Mitte des Quadrats. Ähnliche Sterne wurden, halbiert,
an den vier Seiten des Quadrats angebracht, während Viertel die
Ecken schmücken. Würden all diese Sterne vervollständigt und
der Hintergrund mit seinem goldenen, geometrisch geflochtenen
Muster fortgesetzt, wäre das Design in alle Richtungen endlos fort-
führbar. Man könnte sich die Dekoration auch als vier große goldene

»Blumen« vorstellen. So kann dieses geniale Muster auf zwei Arten gelesen werden. Eine Seite aus dem Evangeliar, das um 700 auf den britischen Inseln dekoriert wurde (vorherige Seite), sieht da ganz anders aus – wobei die Verzierungen auch hier flächendeckend, nicht-figürlich und in Abschnitte unterteilt sind. Dem Design fehlt die clevere Doppeldeutigkeit des islamischen Bildes, diese kompensiert es durch die religiösen Bezüge. Ein Kreuz dominiert die Mitte der Fläche, die außerdem mit einem Netz aus sich windenden Kreaturen übersät ist. Größere blaue, kurvige Elemente wirbeln außen um das Kreuz, kleinere grüne im Innenbereich. Das Kreuz mit dem roten Rand selbst scheint all diesen verschlungenen, schlangenähnlichen Formen mit Vögelköpfen Ordnung zu verleihen.

Piet Mondrian
Komposition mit Rot, Blau und Gelb, 1930
Öl auf Leinwand,
45 x 45 cm
Kunsthaus, Zürich

Mondrian strebte nach Balance und Harmonie und eliminierte Subjektivität, indem er sein Bild auf weiße Rechtecke mit schwarzen Rahmen beschränkte, kombiniert mit einfarbigen Blöcken in Primärfarben.

REINE FORM

Trotz der einen Bildebene sind die beiden Designs auf den Seiten 102 bzw. 103 äußerst komplex und voller Details, die höchste handwerkliche Meisterschaft erfordern. Den Gegensatz dazu bilden die Gemälde des Holländers Mondrian aus dem 20. Jahrhundert (rechts, oben), die aus großen Blöcken in Primärfarben auf weißem Grund, begrenzt durch rechtwinklige, schwarze Linien, bestehen.

Während Mondrian in seinen Bildern auf maximalen Kontrast aus war, untersuchte Josef Albers eher die subtilen Beziehungen.

Obwohl Mondrian seine Bilder nicht in den Dienst konventioneller Religionen stellte wie die Illustratoren der Evangeliare oder des Koran, war er mit seinen Flächen und Farben dennoch auf der Suche nach mehr als einem bloßen Muster. Er hoffte, indem er die Elemente auf ihr Wesen reduzierte – auf Mischfarben und Kurven verzichtete –, könnte er eine universelle Botschaft verkünden, frei von jeder Subjektivität. Er ordnete die Elemente in seinen Bildern nicht in ein regelmäßiges geometrisches Netzwerk ein wie die Illustratoren, sondern fand durch die Anordnung großer farbiger Blöcke zu Balance und Harmonie.

Während Mondrian in seinen Bildern auf maximalen Kontrast aus war, untersuchte Josef Albers eher die subtilen Beziehungen. Wie Mondrian arbeitete er an eher visuellen Experimenten und reduzierte die Variablen auf ein Minimum. In Arbeiten wie *Homage to the Square* (Seite 105, unten) nutzte er nur eine geometrische Form, das Quadrat, und einen eingeschränkten Farbbereich.

Josef Albers
Studie für *Homage to the Square: Departing in Yellow*, 1964
Öl auf Sperrholz,
76 x 76 cm,
Tate, London

Wie Mondrian liebte Albers reine geometrische Formen, die in keiner Beziehung zur Komplexität des normalen Sehens stehen. Er experimentierte mit subtilen farblichen Kontrasten, aber in äußerst beschränktem Rahmen.

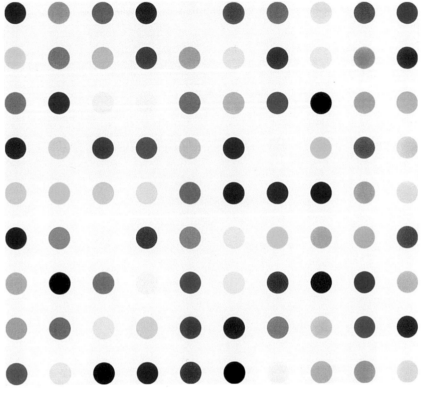

Damien Hirst
Sulfisoxazole, 2007
Haushaltslack auf
Leinwand,
129,5 x 144,8 cm;
7,6 cm-Punkt
Mugrabi collection

**Hirsts Punktgemälde
betonen die Beziehung
zwischen handgemaltem
Muster und Mechani-
sierung: Jeder Punkt ist
von Hand gemalt, sieht
aber aus wie von einer
Maschine gedruckt.**

Weniger menschlich und individuell wollte es Damien Hirst, der mithilfe von Assistenten seit 1986 mehr als 1000 Punktgemälde schuf (links). Alle Spuren von Handarbeit wurden entfernt, die Bilder sehen wie mechanische Konstruktionen aus – oder, wie es Hirst formulierte,»von einem Menschen, der wie eine Maschine malte«. Die meisten Bilder befinden sich auf ebenen Flächen; darum überrascht es durchaus, wie selten diese Tatsache von Künstlern instrumentalisiert wird. Sobald figürliche Elemente auftauchen – selbst abstrakte wie in den Gemälden von Matisse oder den Holzschnitten der Japaner –, wird der Eindruck von Volumen und Tiefe erweckt. Nur wenige Künstler widmen sich bewusst und zielstrebig Mustern, die ebene Flächen verschönern sollen.

SCHLÜSSELFRAGEN

- Ist es möglich, auch ohne die Andeutung von Tiefe und Raum ein wirkungsvolles Bild zu malen?
- Ist es wichtig, nur kurvige Formen oder nur Winkel in einem dekorativen Muster zu verwenden?
- Mit wie wenigen Elementen kann man eine Fläche dekorieren und gleichzeitig ein interessantes Bild malen?
- Kann ein Muster auf einer ebenen Fläche Emotionen kommunizieren?

TRADITION

-

**Selbst die innovativsten Künstler
gehen auf Traditionen ein.**

-

Roy Lichtenstein
Big Painting No. 6, 1965
Öl auf Leinwand,
234 x 328 cm
Kunstsammlung
Nordrhein-Westfalen,
Düsseldorf

**Auf den ersten Blick
verwirrend, versteht
man Lichtensteins *Big
Painting No. 6* wohl
am besten als Parodie
auf die Tradition der
Aktionsmaler der
vorherigen Generation.**

Franz Kline
Vawdavitch, 1955
Öl auf Leinwand,
157 x 203 cm
Museum of
Contemporary Art,
Chicago

**Franz Kline wollte ein
Gefühl dafür vermitteln,
wie der Künstler ein Bild
herstellt, indem er einen
sehr starken Pinsel mit
viel Farbe verwendete.**

1965 malte Roy Lichtenstein dieses Bild (links, oben). Auf den ersten Blick ist es verwirrend, scheinbar eine Sammlung freier und ausdrucksstarker Striche. Rechts die Kleckse sehen aus, als wäre Farbe vom Pinsel getropft, bevor er die Leinwand berührte.

Ein merkwürdiges Motiv, denken Sie vielleicht, und noch merkwürdiger gemalt, denn Lichtenstein hat keine freien, ausdrucksstarken Pinselstriche eingesetzt. Stattdessen arbeitete er sehr sorgfältig und präzise.

WORUM GEHT ES HIER?

Tatsächlich handelt es sich um den Kommentar eines Künstlers zur Kunst. Um zu verstehen, worauf Lichtenstein aus ist, muss man die Kunst seiner Vorgängergeneration betrachten. Damals wurde die sogenannte »Action-Malerei« sehr bewundert. Die Action-Maler wollten dem Betrachter den eigentlichen Akt des Malens vermitteln, ihn einladen, die Erfahrungen als Maler zu teilen. Jackson Pollock (S. 14) versuchte das, indem er Farbe auf die auf dem Boden liegende Leinwand tropfte, warf und spritzte. Im Ergebnis entstanden nicht nur ansehnliche Muster, sondern auch ein Abbild der Wucht und Aktion, die der Körper des Künstlers bei der Arbeit ausführte.

Andere Maler derselben Bewegung setzten andere Techniken ein und schufen andere Werke. Franz Kline arbeitete konventioneller mit dem Pinsel – aber mit einem großen Pinsel, von dem die Farbe tropfte. Er setzte ihn frei ein, zeichnete riesige Striche auf eine immense Leinwand und weckte im Betrachter ein Gefühl für die Bewegungen, die er beim Malen ausführte (links, unten). Und natürlich steht bei dieser Arbeit genau die Aktion des Künstlers im Vordergrund, über die sich Roy Lichtenstein lustig zu machen scheint.

Dieser Witz mag uns gefallen oder nicht, sobald wir ihn verstanden haben, aber wir brauchen dazu etwas Hintergrundwissen – über die Tradition, aus der er entstand oder gegen die er sich auflehnt –, wenn wir die Arbeit überhaupt verstehen wollen.

ALTES WERK UND NEUE INHALTE

Künstler arbeiten nicht im luftleeren Raum. Sie werden ständig durch andere Künstler und die Traditionen der Vergangenheit stimuliert. Selbst wenn sie sich dagegen auflehnen, zeigen sie ihre Abhängigkeit in gewisser Weise. Sie ist der Nährboden, auf dem sie sich entwickeln und der ihnen Nahrung gibt. Sie wissen das und stehen auch dazu; selbst Lichtenstein sagte: »Die Dinge, die ich parodiert habe, bewundere ich im Grunde.«

Die größten und originellsten Künstler, selbst die innovativsten, sind der Tadition eng verbunden. Nehmen Sie Picasso. Wir haben die bemerkenswerte Veränderung in seiner Arbeit erlebt – die expressiven Verzerrungen, die *Guernica* so viel Kraft geben (S. 70–71); der feine Realismus seiner Zeichnung von Vollard (S. 39); die Offenlegung der Gefühle des Kindes bei seinen ersten Schritten (S. 54); die formellen Innovationen in seinem kubistischen Porträt (S. 38).

Immer wieder kehrte dieser so vielseitige und innovative Geist der Inspiration wegen zur Tradition zurück. So ließ er sich im Februar 1960 von Manets berühmtem Gemälde inspirieren. Manets *Le Déjeuner sur l'herbe* (Das Frühstück im Grünen; oben) zeigt zwei Damen (eine nackt, eine im Unterkleid) und zwei bekleidete Männer, die im Wald am Bach ein Picknick genießen.

Picassos erstes Gemälde zu diesem Thema (rechts) ist eine recht deutliche Kopie von Manet, zumindest was die Anzahl und Anordnung der Personen angeht. Der Stil ist natürlich völlig anders. Allerdings ist dieses Gemälde weder der Beginn noch das Ende von Picassos Auseinandersetzung mit dem Thema. Im August zuvor hatte er sechs Zeichnungen über Manets *Déjeuner sur l'herbe* angefertigt. Das Ölgemälde (rechts) war das erste einer Reihe; am

Édouard Manet
Le Déjeuner sur l'herbe,
1863
Öl auf Leinwand,
207 x 265 cm
Musée d'Orsay, Paris

Manets Gemälde voll bekleideter Herren beim Picknick mit zwei Damen, eine nackt und eine halb bekleidet, war in der damaligen Zeit ein Schock.

Pablo Picasso
Frühstück im Freien,
27. Februar 1960
Öl auf Leinwand,
114 x 146 cm
The Nahmad Collection,
Zürich

Obwohl ein absoluter Meister im Schaffen neuer Bilder, frischte Picasso seine Fantasie gern mithilfe alter Meisterwerke auf, in diesem Fall anhand von Manets *Le Déjeuner sur l'herbe.*

nächsten Tag malte er noch zwei und ein viertes am Tag darauf. Er begann, Details umzuarbeiten, Elemente zu modifizieren (umseitig) und zuweilen die gesamte Komposition neu zu entwickeln. Bis 1963 hatte er 27 Ölgemälde und 150 Zeichnungen basierend auf Manets berühmtem Original geschaffen.

Manets Gemälde (links) selbst war bei seiner ersten Ausstellung 1863 eine Sensation, es war revolutionär. Doch obwohl Manet in seinem eigenen Stil gemalt hatte, entnahm er die Idee dennoch der Tradition. Drei seiner vier Figuren basieren auf einer Gravur (umseitig, unten) aus dem 16. Jahrhundert, der Kopie einer (inzwischen verschollenen) Komposition von Raffael.
Sie zeigte eine Gruppe Flussgötter, Nebendarsteller in einer Illustration über das Urteil des Paris (vgl. mit S. 76 und 77).

Zwar ist Raffaels Arbeit verschwunden, dennoch ist die Gravur exakt genug, um herauszustellen, dass sich Raffael wie viele andere Künstler in der Tradition bediente, denn seine Flussgötter sind durch das Fragment eines alten Sarkophag-Reliefs (S. 115) inspiriert, das er in Rom gesehen und studiert haben muss.

Es gibt Dutzende, ja Hunderte weiterer Beispiele, in denen sich Künstler an die reiche Tradition westlicher Kunst anlehnten – nicht

113

Links: Pablo Picasso
Frühstück im Freien,
23. März 1963
Bleistift auf
Buchumschlag,
37 x 53,2 cm
Privatsammlung,
New York

Picasso arbeitete ständig Ideen und Bilder um, sowohl seine eigenen als auch die anderer.

Rechts: Römischer Künstler
Detail eines römischen
Sarkophags mit den
Flussgöttern aus dem
Urteil des Paris,
3. Jh. n. Chr.
Villa Medici, Rom

Raffaels inzwischen verschollenes Gemälde vom Urteil des Paris, graviert von Marcantonio Raimondi, baute selbst auf dem römischen Sarkophag auf, dessen eine Ecke wir hier sehen.

nur der Motive ihrer Bilder wegen, auch für die Posen von Figuren, die Techniken, um Raum darzustellen, die Lichteffekte und Schatten, die Anordnung von Objekten und viele andere Eigenschaften, die das Auge im Bild führen oder den Geist des Betrachters fesseln. Zwar müssen wir uns nicht mit all diesen Traditionen auskennen, um uns an den Bildern zu erfreuen, aber der Genuss ist umso größer und tiefgründiger, wenn es uns gelingt.

SCHLÜSSELFRAGEN

- Kann ein Künstler etwas völlig neu schaffen, ohne sich an die Tradition anzulehnen?
- Ist ein Verweis auf Traditionen gleichzusetzen mit einer Fantasielosigkeit des Künstlers?
- Schränkt die Tradition den Künstler ein oder befreit sie ihn?

Links: Marcantonio Raimondi
Detail aus *Urteil des Paris,*
nach Raffael,
ca. 1510–1520
Metropolitan Museum
of Art, New York

Die Ecke der Gravur von Marcantonio Raimondi nach einem Gemälde Raffaels diente als Vorlage für Manets Figuren in Le Déjeuner sur l'herbe.

DESIGN UND ORGANISATION

-

Künstler nutzen eine Vielzahl ausgefeilter Hilfsmittel, um die gewünschten Effekte zu erzielen.

-

Ein Blick reicht, um uns einen Eindruck von einem Bild zu verschaffen. Heinrich VIII. (oben) wirkt imposant und dominierend; Lady Brisco (rechts) ist der Inbegriff der Eleganz. Oft lässt sich gar nicht so leicht feststellen, wieso wir eine bestimmte Meinung gebildet haben oder wie der Künstler seine Wirkungen erzielt hat. Selbst wenn man sich ein Bild lange anschaut, kann man kaum Worte finden, um zu beschreiben, was man sieht, oder die Konzepte zu erkennen, die einem das Verständnis erleichtern.

Manchmal hilft es, ein Bild in Bezug auf Art, Farbe, Formen, Größen und Arrangements zu betrachten – und das eigentliche Thema für den Augenblick zu ignorieren. Wir erkennen zum Beispiel, dass die Figur von Heinrich VIII. (oben) eine viel größere Fläche in dem Bild einnimmt als die Figur der grazilen Lady Brisco (rechts). Heinrichs Füße sind gespreizt und er hat ausgesprochen breite Schultern, links und rechts seiner kunstvollen Ärmel ist kaum Platz.

**Hans Holbein,
der Jüngere**
Heinrich VIII., ca. 537
Öl auf Leinwand,
239 x 134,5 cm
Walker Art Gallery,
Liverpool

**Holbein schaffte es
in diesem Porträt von
Heinrich VIII., die Macht
und Herrlichkeit des
Königs darzustellen.**

Thomas Gainsborough
Lady Brisco, 1776
Öl auf Leinwand,
229 x 147 cm
Kenwood House, London

**Gainsborough war geübt
darin, die Eleganz seiner
aristokratischen Kunden
festzuhalten.**

Kein Wunder, dass er riesig wirkt – der Maler verdeutlicht, dass er
einen Raum durch seine Anwesenheit wirklich ausfüllt.

Lady Brisco (oben) nimmt im Gegensatz dazu nur die Hälfte des
Bildes ein, das Gainsborough von ihr gemalt hat. Rechts ist reichlich
Platz zum Herumtollen für den freundlichen Hund sowie für einen
Wasserfall, der über eine weite Landschaft plätschert, in der ein
schlanker junger Baum die Form der Lady selbst wiederholt.

Heinrich VIII. ist mit festen Umrissen, kräftigen Farben und
sorgfältigen Pinselstrichen gemalt, die die Formen und vor allem die
Details seines prachtvollen Gewands klar wiedergeben. Das Porträt
von Lady Brisco zeigt sich dagegen viel freier: Die blassen, kühlen
Farben halten sich nicht mit Kleinigkeiten auf, sondern fangen das
Schimmern der Seide, den Glanz des Tafts, die Weichheit der Feder
ein. Die Umrisse verschmelzen unmerklich mit der Umgebung oder
dem Hintergrund. Die lebhaften Pinselstriche im wolkigen Himmel

119

verstärken das Gefühl von Spontaneität und Ungezwungenheit; hinter Heinrich gibt es keinen Ausblick, nur Brokatvorhänge und eine grüne Marmorwand, deren sorgfältig zur Schau gestellter Reichtum den Eindruck von formeller Erhabenheit unterstreicht.

Wenn wir erst einmal bemerken, wie groß oder klein eine Figur im Vergleich zur Größe eines Bildes ist und wie kontrolliert oder offenbar leicht und frei die Pinselstriche das Motiv festhalten, beginnen wir zu verstehen, wie ein Maler es schaffte, dominierende Pracht oder beiläufige Eleganz anzudeuten.

EINE KOMPLEXE GRUPPE VON FIGUREN ANORDNEN

Eine einzelne Gruppe bereitet einem Maler weniger Gestaltungsprobleme als eine Gruppe. Als die Brüder Pollaiuolo im Jahre 1475 das Martyrium des heiligen Sebastian (rechts) malten, mussten sie sich überlegen, wie sie die Geschichte klar und überzeugend darstellten und gleichzeitig das Bild ausgewogen und harmonisch wirken ließen. Damit der Heilige sofort als die wichtigste Figur zu erkennen ist, setzten sie die Szene auf einen Hügel, von dem ein Blick in die weite Landschaft und auf den Himmel möglich war. Vor diesem Hintergrund malten sie den Körper des Heiligen mit wunderbarer Einfachheit und Klarheit.

Die Pferde, Bäume, Gebäude und bewaffneten Männer in der Landschaft, die sich hinter dem Hügel erstreckt, sind relativ klein und dunkel im Vergleich zu der Figur des heiligen Sebastian, der hoch oben im Bild über seine sechs Peiniger aufragt. Obwohl diese auf den ersten Blick beliebig angeordnet zu sein scheinen, zeigt sich bei näherem Hinsehen, dass ihre Posen einander sorgfältig ausbalancieren: Die beiden mittleren Bogenschützen haben fast die gleiche Stellung, einmal von vorn und einmal von hinten, und dieses Prinzip der Umkehrung ist auch bei den flankierenden Bogenschützen in der rechten bzw. linken Ecke zu sehen. Die Männer bilden einen bedrohlichen Kreis um den Heiligen herum, er steht in jeder Beziehung im Zentrum der Aufmerksamkeit.

Raffael musste fast 40 Jahre später ähnliche organisatorische Probleme berücksichtigen, als er die Wand eines Privathauses in Rom mit einem Fresko verzierte, das die Meeresnymphe Galatea in einem von Delphinen gezogenen und von anderen niederen Gottheiten umringten Muschelwagen zeigte (S. 122).

Wie die Brüder Pollaiuolo vor ihm wollte Raffael, dass sich das Interesse auf die Hauptfigur richtete, und er schaffte dies, wenn auch auf ganz andere Weise. Galatea steht weder weit oben im Bild noch ist sie von den zwei Figurengruppen links und rechts von

Antonio und Piero del Pollaiuolo
Das Martyrium des hl. Sebastian, 1475
Öl auf Holz,
291,5 x 203 cm
National Gallery, London

Die Brüder Pollaiuolo bewältigten effektiv die Aufgabe, ein Gemälde mit mehreren Figuren zu organisieren, indem sie die Personen sorgfältig platzierten und ihre Posen geschickt ausbalancierten.

ihr klar isoliert – und dennoch fällt sie sofort ins Auge. Das liegt vor allem an dem leuchtend roten Tuch, das sich um ihren Körper bauscht und nach links weht; es hat die stärkste Farbe im Bild.

Raffael
Galatea, ca. 1514
Fresko, 300 x 220 cm
Villa Farnesina, Rom

Raffael schuf eine harmonische und klar fokussierte Szene aus zahllosen komplexen Elementen.

Bewegung wird durch Gegenbewegung ausgeglichen.

Raffaels Bild sieht in seiner Organisation freier und entspannter aus als das der Brüder Pollaiuolo. Vor allem die zentrale Figur der Galatea beeindruckt durch ihr Maß an Lebendigkeit und Harmonie. Das beruht hauptsächlich auf der Tatsache, dass der obere Teil des Körpers und die Arme nach rechts gedreht sind, obwohl sich der untere Teil des Körpers und der Kopf der Nymphe nach links wenden. Die Bewegung wird also durch eine Gegenbewegung ausgeglichen. Im Ganzen jedoch sind die Mittel der Künstler nicht so unterschiedlich. In Raffaels Gemälde fliegen drei Cupiden am Himmel herum und richten ihre Liebespfeile auf Galatea. Dies zieht die Aufmerksamkeit des Betrachters auf die Nymphe. Die fliegenden Cupiden rechts und links werden – vergleichbar den Bogenschützen der Brüder Pollaiuolo – entgegengesetzt zueinander dargestellt; der Cupido oben findet seinen Widerpart in dem Cupido, der direkt unter Galateas Wagen schwimmt, auch wenn das weniger offensichtlich ist.

Wenn man lernt, die Mittel zu erkennen, mit denen Künstler bestimmte Effekte erzielen, versteht man besser, warum Bilder eine bestimmte Wirkung auf uns haben. Unsere Wertschätzung für Kunstwerke wird durch formelle Analysen gestärkt, wie wir sie auf den vorhergehenden Seiten gesehen haben. Schließlich entdecken wir damit, wie viel Sorgfalt und Scharfsinn die Maler aufgebracht haben, um scheinbar völlig natürliche Bilder zu erschaffen.

SCHLÜSSELFRAGEN

- Hilft die Organisation der Formen und Farben, die Bedeutung eines Motivs besser zu entschlüsseln?
- Welche Hilfsmittel kann ein Künstler nutzen, um einem bestimmten Motiv eine schöne Gestalt zu geben?
- Können Design und Organisation eines Bildes Emotionen vermitteln?

DIE DARSTELLUNG VON RAUM

-

Die Illusion eines realistischen Raumes zu schaffen,
ist für einen Künstler eine Herausforderung.

-

Bestimmte Probleme stellen eine dauerhafte Herausforderung für Künstler dar. Eines davon ist das Herstellen der Illusion von Dreidimensionalität auf einer flachen Oberfläche.

Maler haben sich nicht immer darum gekümmert. So war es dem Künstler, der um 1250 das Bild von Mariä Verkündigung für ein deutsches Messbuch geschaffen hat, egal, ob das symbolische Haus, in dem sich die Jungfrau Maria befand, groß genug für sie war oder ob der Engel tatsächlich durch die Tür gepasst hätte – ein Flügel und ein Zipfel seines Umhangs scheinen noch draußen zu sein.

Deutscher Buchmaler
Mariä Verkündigung,
ca. 1250, Tempera, Tusche, Gold und Silber auf Pergament, 16,5 x 13,3 cm, Metropolitan Museum of Art, New York

Mittelalterliche Künstler konzentrierten sich auf die Botschaft ihrer Figuren und kümmerten sich wenig um den Raum, den sie einnahmen.

Fra Angelico
Mariä Verkündigung,
ca. 1440–1450
Fresko, 187 x 157 cm
Museo San Marco,
Florenz

Fra Angelico setzte den Erzengel Gabriel und die Jungfrau Maria in ein sehr realistisches Umfeld. Er malte sogar die Traversen, die notwendig waren, um die Bögen des Gebäudes zu stützen, das er als Vorlage im Sinn hatte, obwohl diese in seiner gemalten Version eigentlich überflüssig waren.

In der Renaissance hingegen wurde die Darstellung von Raum zu einer dringenden Frage. In der ersten Hälfte des 15. Jahrhunderts formulierte der italienische Architekt Brunelleschi die Regeln der Zentralperspektive, und der vielseitige Alberti machte sie in seiner Abhandlung *Über die Malkunst* bekannt, in der er in relativ einfachen Worten erklärte, wie ein Künstler sein Bild entsprechend diesen Regeln konstruieren sollte. Benutzt man sein System, ist man in der Lage, Architektur überzeugend darzustellen.

Wir wissen, wie weit Maria unter der Loggia sitzt, und können sehen, dass die Spitze des Engelsflügels die abgewandte Seite der Säule im Vordergrund streift.

Der Effekt ist sowohl rational als auch konsistent und wir erkennen sofort den Einfluss von Albertis Abhandlung, wenn wir uns Fra Angelicos Kulisse für seine *Verkündigung* (oben) anschauen, die etwa ein Jahrzehnt nach der Veröffentlichung des Buches gemalt wurde. Der Säulengang ist massiv, die Figuren sind dreidimensional; wir wissen, wie weit Maria unter der Loggia sitzt, und können sehen, dass die Spitze des Engelsflügels die abgewandte Seite der Säule im Vordergrund streift. All dies konnte nun gelehrt und gelernt werden; dass Fra Angelico die Szene darüber hinaus mit Heiterkeit und Stille anreichert, ist ein Zeichen seines ganz besonderen Genies.

DIE MANIPULATION DES RAUMS

Die vernünftige Erklärung für die Darstellung des Raums war ein großer Triumph für die Künstler der Frührenaissance (15. Jahrhundert). Sie erfreuten sich ihrer Meisterschaft und erbrachten manchmal virtuose Leistungen, in denen das Bild eine wirkliche Erweiterung des Raumes zu sein schien, für den es gemalt wurde.

Andrea del Castagno tat dies mit seinem Bild *Das Letzte Abendmahl* (unten), das er Mitte des 15. Jahrhunderts für das Kloster Sant'Apollonia schuf. Castagno setzte die Szene scheinbar in eine reich getäfelte Nische an der Rückseite des Refektoriums, in dem die Nonnen ihre Mahlzeiten einnahmen. Er versuchte, alles so lebendig wie möglich zu gestalten, und wählte sogar einen niedrigen Standpunkt (wir können nicht auf den Tisch blicken, schauen aber von unten in Richtung Decke), der mit der realen Position eines leicht erhöhten Tisches (für die Äbtissin und ihre Gäste) korrespondiert. Natürlich sind die Dinge, die uns näher sind, größer dargestellt.

Dieser beharrliche Realismus hat aber auch Nachteile, da die größte Person im Bild (und entsprechend diejenige, die die Blicke auf sich zieht) nicht Christus ist, sondern der Verräter Judas. Christus und seine Jünger sitzen an der hinteren Seite des Tisches, den Nonnen im Refektorium zugewandt, segnen sie möglicherweise. Judas sitzt allein auf der anderen Seite des Tisches mit dem Rücken zu den Nonnen.

Andrea del Castagno
Das Letzte Abendmahl,
ca. 1445–1450
Fresko, 453 × 975 cm
Sant'Apollonia, Florenz

Castagno versuchte, den Raum, den die biblischen Teilnehmer des letzten Abendmahls einnehmen, so überzeugend zu malen wie den Raum, den die lebenden Nonnen belegten, die in dem Refektorium speisten, das mit dem Fresko ausgestaltet wurde.

Leonardo da Vinci
Das Abendmahl,
ca. 1495–1498
Tempera auf Gesso
(nach der Restaurierung),
460 x 880 cm
Santa Maria delle
Grazie, Mailand

**Leonardos Darstellung
des letzten Abendmahls
ist die vermutlich
bemerkenswerteste und
glaubhafteste Fassung
unter allen jemals
gemalten Versionen –
ungeachtet der Tatsache,
dass der Raum, den er
abbildete, nicht völlig
realistisch ist.**

Das ist alles völlig logisch. Aber manchmal löst die Logik die künstlerischen Probleme nicht, sondern erzeugt sie erst. Der unwahrscheinlich erfinderische Leonardo da Vinci erkannte dies. Als er im Jahre 1495 begann, *seine* Version des letzten Abendmahls an die Wand eines Refektoriums zu malen (oben), überdachte er die gesamte Darstellung gründlich.

**Dieses Meisterwerk in seiner Klarheit und seinem Drama
geht über den bloßen Naturalismus hinaus.**

Wir erfassen die ganze Szene auf einen Blick. Christus sitzt in der Mitte, eingerahmt von dem Fenster hinter ihm, die Sehstrahlen der Zentralperspektive laufen im Fluchtpunkt hinter seinem Kopf zusammen. Er ist vollkommen von seinen Nachbarn isoliert, und zwar nicht nur räumlich, sondern auch in seiner Ruhe, die in beredtem Gegensatz zum aufgeregten Gerede seiner Gefährten steht. Die Apostel sitzen nicht ordentlich aufgereiht nebeneinander, sondern sind in Dreiergruppen angeordnet. Ihre Erregung wurde durch Christi Ankündigung verursacht: »Einer unter euch wird mich verraten.« *(Johannes 13:21)*
Christus ist absolut still. Unterstrichen wird seine Ruhe durch das gleichseitige Dreieck, das sein Kopf und seine Arme formen. Die Jünger schrecken auf, erheben sich von ihren Plätzen, gestikulieren heftig oder beteuern leidenschaftlich ihre Unschuld – die ganze Szene ist plötzlich zum Leben erwacht, angefacht durch

einen einzigen dramatischen Impuls. Judas (der vierte von links) sitzt auf derselben Seite des Tisches wie alle anderen, hebt sich aber dennoch von ihnen ab: Petrus stürzt nach vorn und lehnt sich von hinten gegen ihn, sodass er gegen den Tisch gedrückt wird, sein Kopf sich von uns abwendet und sein Gesicht im Schatten liegt.

Dieses Meisterwerk in seiner Klarheit und seinem Drama geht über den bloßen Naturalismus hinaus. Der Raum tritt zu abrupt zurück, der Tisch ist zu kurz (es gäbe nicht genug Platz für alle Apostel zum Hinsetzen); dennoch ist dies für viele Menschen die bemerkenswerteste und befriedigendste Version der Szene, die jemals gemalt wurde.

Jacopo Tintoretto
Letztes Abendmahl,
1592–1594
Öl auf Leinwand,
365 x 568 cm
San Giorgio Maggiore,
Venedig

Tintoretto nutzte eine vollendete Perspektiventechnik, um das letzte Abendmahl aus einem unerwarteten Blickwinkel zu betrachten.

—

Tintoretto konnte jeden gewünschten Effekt hervorbringen, egal wie unerwartet.

—

Gegen Ende des nächsten Jahrhunderts, in den 1590er Jahren, malte Tintoretto einen anderen Augenblick im letzten Abendmahl (oben) – die Einsetzung der Eucharistie. Christus sitzt nicht einfach still da, sondern geht zwischen den Aposteln umher und spendet ihnen das heilige Sakrament. Perspektivische Konstruktionen wurden mittlerweile als normal hingenommen.

Tintoretto konnte jeden gewünschten Effekt hervorbringen, egal
wie unerwartet, und deshalb platzierte er den Tisch nicht parallel zur
Bildebene, wie frühere Künstler es gemacht hätten, sondern stellte
ihn schräg. Von diesem neuen und überraschenden Standpunkt aus
sind die Diener (vorn rechts) größer als die Apostel am Tisch, und
Christus selbst, der fast am Ende des Tisches steht, ist durch die
Perspektive stark verkleinert. Der strahlende Heiligenschein lenkt
dennoch unseren Blick auf ihn. Trotz der eigenwilligen Darstellung
des Raumes bleibt Christus also das Zentrum des Bildes (das heißt,
das Zentrum der Leinwand, nicht des dargestellten Raumes).

ZWEI MÖGLICHKEITEN, EINE GESCHICHTE ZU ERZÄHLEN

Die harmonische Klarheit von Leonardo reizte Tintoretto offensichtlich nicht. Er hatte andere künstlerische Ziele.

Schauen Sie sich etwa sein Gemälde *Das Wunder der Brote und
Fische* (unten und umseitig) an. Die Geschichte wird im Johannesevangelium so erzählt:

Jacopo Tintoretto
*Das Wunder der Brote und
Fische*, ca. 1545–1550
Öl auf Leinwand,
154,9 x 407,7 cm
Metropolitan Museum
of Art, New York

**In einem visuell auf-
regenden Bild fordert
Tintoretto den Betrachter
heraus, das Motiv zu
identifizieren. Der Hin-
weis darauf ist genau in
der Mitte zu finden.**

Da hob Jesus seine Augen auf und sieht, dass viel Volk zu ihm
kommt, und spricht …: »Wo kaufen wir Brot, damit diese zu essen
haben?« …

Spricht zu ihm einer seiner Jünger …: »Es ist ein Kind hier, das
hat fünf Gerstenbrote und zwei Fische; aber was ist das für so
viele?«

Jesus aber sprach: »Lasst die Leute sich lagern.«

Es war aber viel Gras an dem Ort. Da lagerten sich etwa
fünftausend Männer. Jesus aber nahm die Brote, dankte und gab
sie denen, die sich gelagert hatten; desgleichen auch von den
Fischen, soviel sie wollten.

Als sie aber satt waren, sprach er zu seinen Jüngern:
»Sammelt die übrigen Brocken, damit nichts umkommt.«
Da sammelten sie und füllten von den fünf Gerstenbroten
zwölf Körbe mit Brocken, die denen übrigblieben, die gespeist
worden waren.
Johannes 6:5–13

Jacopo Tintoretto
Detail aus *Das Wunder
der Brote und Fische*,
ca. 1545–1550 (siehe
vorherige Seite)

In Tintorettos Gemälde (S. 131 und oben) ist keinesfalls sofort klar,
was passiert; es gibt eine Menschenmenge, viel Farbe und Handlung
und das Gefühl einer gewissen Aufregung angesichts des Wunders.
Christus selbst befindet sich in der Mitte des Bildes, wo er energisch
Brot und Fisch verteilt; da er aber weiter hinten steht, ist er relativ
klein und weniger auffällig als die Figuren im Vordergrund.

Beim Gestalten dieser beiden Gemälde (S. 130–131 und oben)
bedachte Tintoretto zwei Dinge: Erstens, dass es Darstellungen
heiliger Geschichten sind, die glaubhaft echt aussehen sollten, und
zweitens, dass er auf einer flachen Oberfläche malte. In beiden Fällen
setzte er Christus genau in die Mitte der Leinwand. Doch da er die
Bilder illusionistisch angelegt hatte, musste er die wichtige, aber weiter
entfernte Figur kleiner und weniger auffällig gestalten als die anderen.

Man kann sich vorstellen, dass Tintoretto der Widerspruch Spaß
machte, einen zwar eigentlich zentralen, aber schwer auszumachen-

**Byzantinischer
Mosaikkünstler**
*Das Wunder der Brote
und Fische,* Mosaik aus
dem 6. Jh. in der Basilika
Sant'Apollinare Nuovo,
Ravenna

**Für frühe christliche
Künstler war es am
wichtigsten, dass die
Geschichte klar und
eindeutig erkennbar war.**

den Christus zu malen. Er schuf ein visuell aufregendes Bild und
nutzte Hilfsmittel zum Andeuten von Tiefe, die sowohl die Illusion
von Realität vermittelten als auch den Betrachter verblüfften.

Eine exakt entgegengesetzte Einstellung motivierte die frühen
Christen, wenn sie Mosaike zur Dekoration ihrer Kirchen und zum
Unterrichten der Gläubigen entwarfen (S. 11). Das Bild oben zeigt
ihre Version des *Wunders der Brote und der Fische.*

Der Mosaikkünstler hat nicht im Ansatz versucht, den Eindruck
von Raum oder Tiefe zu erzeugen, sondern stellt Christ klar und
eindrucksvoll in das Zentrum, wo er die Apostel zu beiden Seiten
überragt. Die »Menge«, die eine so große Rolle in Tintorettos
Gemälde spielt, wird nur implizit angedeutet, doch die Bedeutung
des Wunders, das sich gleich ereignen wird, ist mehr als deutlich.

SCHLÜSSELFRAGEN

- Ist es notwendig, einen glaubhaften Raum darzustellen,
  um ein wirksames Bild zu schaffen?
- Kann die Darstellung des Raumes um einer dramatischen
  Wirkung willen manipuliert werden?
- Sorgt der Einsatz eines vernünftigen Raumes immer dafür,
  dass die Bedeutung eines Motivs klar wird?

FORMELLE ANALYSE

-

**Vergleiche können Stilmerkmale
verdeutlichen.**

-

Raffael
*Thronende Madonna mit
dem Kind und Heiligen
(Pala Colonna),*
ca. 1504–1505
Öl auf Holz,
172,4 x 172,4 cm
Metropolitan Museum
of Art, New York

**In einem einzigartigen
Beispiel des Renais-
sance-Stils auf seinem
Höhepunkt schuf Raffael
klar definierte Einzel-
figuren, ordnete sie in
einer Reihe paralleler
Ebenen an und schloss
die gesamte, gleichmäßig
beleuchtete Szene in den
Rahmen ein.**

Oft wurde schon versucht, Kunstwerke mithilfe einer formellen
Analyse besser verstehen und schätzen zu lernen, indem man also
nicht das Motiv oder die Technik betrachtet, sondern sie nach rein
formellen Konzepten anschaut. Besonders erfolgreich dabei war
Heinrich Wölfflin, der Anfang des letzten Jahrhunderts nach jah-
relangem Studium von Kunstwerken der Hochrenaissance (frühes
16. Jahrhundert) und des Barocks (17. Jahrhundert) eine Reihe von
Prinzipien aufgestellt hat, die ihm halfen, die Unterschiede zwischen
diesen beiden Perioden zu charakterisieren. Der große Wert seiner
Arbeit besteht darin, dass er uns unabhängige und objektive Kategorien bietet, in deren System wir unsere Beobachtungen artikulieren
können, die ansonsten allgemein und ungenau bleiben würden.

Am wichtigsten ist vielleicht, dass die Konzepte, die er formuliert
hat, paarweise auftreten, und die analytischen Kategorien, die er
vorschlägt, *vergleichend* und nicht absolut sind.

Betrachten wir als Beispiel eines Renaissance-Gemäldes Raffaels
Pala Colonna von etwa 1504–1505 (links) und als Beispiel eines
Barock-Gemäldes Rubens' *Die Heilige Familie mit dem hl. Franziskus*,
gemalt etwa 1625 (umseitig).

LINEAR UND MALERISCH

Wölfflins erstes Konzeptpaar besteht aus dem Gegensatz »linear«
zu »malerisch«. Mit linear meint er, dass alle Figuren und wichtigen
Formen klar umrissen sind, was für Raffaels Gemälde (links) zutrifft.
Die Grenzen aller Elemente (ob menschlich oder unbelebt) sind
unmissverständlich, alle Figuren sind gleichmäßig beleuchtet und
wirken wie eine Art Skulptur.

Rubens' Gemälde (umseitig) ist im Gegensatz dazu *malerisch*.
Die Figuren sind nicht gleichmäßig beleuchtet, sondern verschmelzen miteinander. Das kräftige Licht kommt aus einer Richtung und
enthüllt einige Dinge, während andere versteckt bleiben. Konturen verlieren sich in den Schatten, rasche Pinselstriche verbinden
getrennte Teile, anstatt sie voneinander zu isolieren. In Raffaels
Gemälde sind die Formen aller Figuren wunderbar komplett, in
Rubens' Bild dagegen ist von Josef (ganz rechts) kaum mehr als das
Gesicht zu erkennen.

FLÄCHE UND TIEFE

Das nächste Konzeptpaar ist »Fläche« und »Tiefe«. *Fläche* bedeutet, dass die Elemente in dem Gemälde in einer Reihe von Ebenen
angeordnet zu sein scheinen, also hintereinander und jeweils parallel

zur Bildebene (der eigentlichen Oberfläche des Gemäldes selbst).
Bei Raffael (S. 136) zum Beispiel wird die vorderste Ebene durch die
beiden männlichen Heiligen definiert, die nächste Ebene durch die
beiden weiblichen Heiligen, die hinter ihnen stehen. Das Ehrentuch
hinter der Madonna bildet die hinterste Ebene – das heißt, wir
haben drei Ebenen, die alle parallel verlaufen. Die Architektur der
Plattform, auf der der Thron der Madonna steht, unterstreicht diese
Anordnung noch: Die zwei Stufen und die Plattform werden von
vorn und leicht von oben gesehen, sie erscheinen ganz deutlich in
parallelen Ebenen, eine hinter der anderen.

Völlig anders ist es bei der *Tiefen*konstruktion des Rubens-Bildes
(oben), in dem die Komposition von Figuren dominiert wird, die
schräg zur Bildebene stehen und in die Tiefe zurückweichen. Die
Figuren wenden sich von der vordersten Ebene weg, angefangen
beim heiligen Franziskus ganz links, der auf die Madonna zugeht (die
etwas zurückgesetzt ist), bis zu der alten Frau, ihrer Mutter Anna,
die wiederum auf der entgegengesetzten Diagonale hinter ihr steht.

Das Prinzip der Organisation in Form von parallelen Ebenen oder
zurückweichenden Diagonalen gilt sowohl für Teile der Bilder als

auch für komplette Gemälde. Vergleichen Sie etwa die Platzierung der beiden Kinder. Bei Raffael liegen sie auf getrennt abgesetzten Ebenen, während sie bei Rubens in einer kontinuierlichen Bewegung zusammenfließen, die weiter in den Raum hineinführt.

GESCHLOSSENE FORM UND OFFENE FORM

Peter Paul Rubens
Die Heilige Familie mit dem hl. Franziskus, ca. 1625
Öl auf Leinwand,
176,5 x 210 cm
Metropolitan Museum
of Art, New York

Rubens' dynamische Anordnung von Figuren, die in den Raum zurückweichen, teilweise in den Schatten versteckt sind und gelegentlich vom Bildrand abgeschnitten werden, veranschaulichen die barocke Annäherung an ein ähnliches Thema wie bei Raffael.

Das nächste Konzeptpaar ist »geschlossene Form« und »offene Form«. In der *geschlossenen Form* des Renaissance-Bildes (S. 136) sind alle Figuren im Rahmen des Gemäldes enthalten. Die Komposition basiert auf Vertikalen und Horizontalen, die die Form des Rahmens und seine begrenzende Funktion widerspiegeln. Die männlichen Heiligen an den Seiten schließen das Bild mit starken vertikalen Akzenten ab; diese wiederholen sich in den Vertikalen, die die Körper der weiblichen Heiligen bilden, und schließlich in der Mitte durch den Thron selbst. Horizontale Akzente werden durch die Stufen des Throns gebildet, die die untere Abgrenzung des Rahmens betonen, sowie durch den Baldachin, der das Bild nach oben abschließt. Das Gemälde ist völlig in sich abgeschlossen. Die *geschlossene Form* vermittelt einen Eindruck von Stabilität und Balance, außerdem gibt es die Tendenz zu einer symmetrischen Anordnung (nicht starr allerdings – man erkennt einen Wechsel von Profil- und Frontaldarstellungen bei den Gesichtern der Heiligen).

In der *offenen Form* des Barock-Gemäldes (links) kontrastieren starke Diagonalen mit den Vertikalen und Horizontalen des Rahmens. Diagonale Linien laufen nicht nur über die Oberfläche des Bildes, sondern auch in die Tiefe. Die Figuren sind nicht im Bild eingeschlossen, sondern werden teilweise angeschnitten. Der Raum fühlt sich grenzenlos an und scheint über die Ränder des Bildes hinauszureichen. Die Komposition ist dynamisch, statt statisch; sie deutet Bewegung an und ist voller flüchtiger Momente – ganz anders als die friedvolle Ruhe des Renaissance-Gemäldes.

VIELHEIT UND EINHEIT

Schließlich bilden »Vielheit« und »Einheit« das Begriffspaar, das am offensichtlichsten relativ ist, da alle großen Kunstwerke auf die eine oder andere Weise vereint sind. Was Wölfflin hier meint, ist, dass das Renaissance-Gemälde aus einzelnen Teilen besteht, die jeweils bildnerisch in sich abgeschlossen sind. Jeder Teil besitzt seine eigene, eindeutige Farbe, während die Einheit des Barock-Bildes viel extremer ist und vor allem durch das starke, gerichtete Licht erreicht wird. Im Bild links sind alle Einheiten – von denen es sehr viele gibt – zu einem Ganzen verschmolzen, keine von ihnen könnte isoliert werden. Farben vermischen sich und ihr Aussehen hängt vor allem davon ab, wie das Licht auf sie fällt. So sieht etwa das rote Kleid der Madonna nur teilweise wirklich rot aus, andere Teile werden im Schatten zu Grau abgedunkelt, was bei dem Mantel des Heiligen auf der rechten Seite in Raffaels Gemälde nicht zutrifft (S. 136). Das gleichmäßige, gestreute Licht in dem Renaissance-Bild trägt dazu bei, die Elemente zu isolieren, sodass die Vielheit der unabhängigen Einheiten gegeneinander ausbalanciert werden kann.

Sie merken, dass die verschiedenen Eigenschaften, die Wölfflin dem Renaissance-Gemälde zugeordnet hat, einander beeinflussen: Gestreutes Licht sorgt für deutliche Umrisse, bildhauerische Modellierung, isolierte Elemente und eindeutige Farben. Im Barock-Gemälde (S. 138) wiederum betont das starke, gerichtete Licht die Einheit, die aus dem kontinuierlichen Wesen der Diagonalen herrührt, die die Oberfläche durchschneiden und in die Tiefe führen; Formen vermischen sich und Farben variieren. Natürlich ist dieses Beziehungsgeflecht zu erwarten, da jeder Stil kohärent ist und die Unterteilung in Kategorien (*linear*, *flächig* usw.) nur dem Zweck der Analyse dient. Die Begriffe selbst sind vielleicht nicht ideal, aber das ist unwichtig, solange Sie wissen, was sie bedeuten.

DIE BEGRIFFE AUF KOMPLEXE GRUPPEN ANGEWANDT

Wenden wir die Begriffe auf ein anderes Bilderpaar an: Raffaels *Schule von Athen* (rechts oben) aus der Renaissance und aus dem Barock Rembrandts sogenannte *Nachtwache* (rechts unten) – eigentlich ein sehr originelles Gruppenporträt der Art, wie wir sie auf S. 33 kennengelernt haben. Beides sind große Kompositionen mit vielen Figuren, doch Wölfflins Prinzipien gelten auch für sie.

Rembrandts *Die Nachtwache* ist von Diagonalen durchzogen.

In *Die Schule von Athen* sind die Figuren und die Elemente der Architektur klar und isoliert (*linear*), während sie in *Die Nachtwache* entweder im Licht hervortreten oder in den Schatten versteckt sind (*malerisch*). Bei Raffael sind die Figurengruppen und vor allem der architektonische Rahmen mit seinen vier deutlich markierten Stufen und der Abfolge von Bögen ganz offensichtlich *flächig*, während die diagonale Bewegung der zwei Hauptfiguren und das diagonal gehaltene Banner in Rembrandts Gemälde ganz klar *Tiefe* vermitteln.

Raffael
Die Schule von Athen,
1509–1511
Fresko in der
Stanza della Segnatura,
Vatikanische Museen,
Rom

Raffaels *Die Schule von Athen* zeigt die gleichen Gestaltungsprinzipien wie seine *Pala Colonna*.

Rembrandt van Rijn
Die Nachtwache (Die Kompanie Kapitäns Frans Banning Cocq),
1642
Öl auf Leinwand,
379,5 x 453,5 cm
Rijksmuseum, Amsterdam

Rembrandts *Die Nachtwache*, ist zwar teilweise abgeschnitten, zeigt aber dennoch eine vollendete dramatische Barock-Wiedergabe einer komplexen Szene.

Der Rahmen von Raffaels Aufbau in *Die Schule von Athen* beruht auf den betonten Horizontalen der Stufen, die mit den Vertikalen der stehenden Figuren und den Wänden, die die Bögen stützen, kontrastieren (*geschlossene Form*), während Rembrandts *Nachtwache* von Diagonalen durchzogen ist (das Gewehr des Mannes links ist parallel zu dem Banner hinter ihm und selbst die Trommel ganz rechts wird schräg gehalten). Rembrandts Gemälde in seiner aktuellen Form wurde beschnitten, es überrascht daher kaum, dass die Figuren an den Seiten abgeschnitten sind. Doch selbst in seinem ursprünglichen Zustand entsprach es Wölfflins Definition der *offenen Form*. Und natürlich nehmen wir *Vielheit* und *Einheit* als Folge all unserer Beobachtungen wahr.

Giovanni Bellini
Der Doge Leonardo Loredan, ca. 1501–1502
Öl auf Holz,
61,6 x 45,1 cm
National Gallery, London

Die Prinzipien des Renaissance-Designs lassen sich auch in einer Einzelfigur entdecken, wie etwa in Bellinis beeindruckendem Porträt eines Venezianischen Dogen.

Jan Vermeer
Die Spitzenklöpplerin,
ca. 1669–1670
Öl auf Leinwand, auf Holz
aufgezogen, 24 x 21 cm
Musée du Louvre, Paris

**Barocke Gestaltungs-
prinzipien liegen dem
innigen Bild eines
Mädchens zugrunde, das
in seine filigrane Aufgabe
vertieft ist.**

DIE BEGRIFFE AUF EINZELFIGUREN ANGEWANDT

Wölfflins Kategorien lassen sich auch auf Einzelfiguren anwenden:
Vergleichen Sie Bellinis Renaissance-Bild *Der Doge Leonardo Loredan* (links) mit Vermeers Barock-Bild *Die Spitzenklöpplerin* (oben).
Beachten Sie den streng horizontalen Sims am unteren Rand
von Bellinis Porträt, die strenge Vertikale des aufrecht gehalte-
nen Kopfes (mit waagerechten Augen, einem horizontalen Mund
und einer vertikalen Nase) und den Brustkorb in einer parallel zur
Bildebene verlaufenden Fläche. Stellen Sie diese Eigenschaften der
Klöpplerin gegenüber: Sie sitzt schräg da, die hintere Schulter tritt
in die Tiefe zurück, ihr Kopf ist geneigt, sodass die Linie ihrer Augen
nach links abfällt. Licht von rechts vereint das Bild, indem es die
rechte Seite beleuchtet und die linke Seite in den Schatten wirft.

ANDERE ANWENDUNGEN

Besonders aussagekräftig ist Wölfflins Technik, wenn man mit ihr
vergleicht, wie ein Renaissance- und ein Barock-Künstler dasselbe

Tizian
Venus und Adonis,
ca. 1553
Öl auf Leinwand,
107 x 133,5 cm
Metropolitan Museum
of Art, New York

**Um die Geschichte
von Venus und Adonis
zu veranschaulichen,
stellte Tizian Adonis als
Jäger dar, den Venus
zurückzuhalten versucht.
Adonis hat zwei Hunde
bei sich und bei Venus
schwebt ein kleiner
Liebesgott.**

Thema behandeln: Venus und Adonis, gemalt von Tizian (links oben)
und von Rubens (links unten). In beiden Bildern klammert sich
Venus an Adonis und fleht ihn an, nicht auf die Jagd zu gehen. In
beiden Bildern hat Adonis zwei Jagdhunde bei sich und Venus ihren
Sohn Amor. Können Sie sehen, wie verschieden dieselben Elemente
angeordnet wurden und wie sehr Wölfflins Kriterien zutreffen?
 Der Wert von Kategorien etwa von Wölfflin ist ihre Objektivität.
Sie wurden zwar im Hinblick auf die Eigenarten der Renaissance-
und Barock-Kunst geschaffen, können aber viel umfassender ange-
wandt werden. So zeigt etwa Davids *Porträt der Madame Récamier*
(umseitig), gemalt im neoklassischen Stil, Merkmale, die Wölfflin der
Renaissance zuspricht (die David in seinem Werk quasi wiederbe-
lebte). Das Gemälde kann in all seinen Formen als *linear* angesehen
werden; sowohl die Figur als auch die Möbel sind klar umrissen und
gleichmäßig beleuchtet, sodass sie eine fast schon bildhauerische
Klarheit zeigen. Die Anordnung ist *flächig.*

Der Einsatz solcher neutralen analytischen Kategorien kann unseren Blick schärfen und uns helfen, die Struktur eines Werkes wahrzunehmen.

Peter Paul Rubens
Venus und Adonis,
ca. 1635
Öl auf Leinwand,
197,5 x 243 cm
Metropolitan Museum
of Art, New York

**Rubens, der die gleichen
Elemente benutzte
wie Tizian, ordnete sie
anders und mehr dem
überschwänglichen
Barock-Geschmack
entsprechend an.**

Madame Récamier lehnt sich auf ihrem Sofa zurück, sodass sie
sich parallel zur Bildebene befindet, und sogar die antike Lampe auf
ihrem hohen, schlanken Ständer steht parallel zu dieser Ebene. Die
geschlossene Form dieses strengen Gemäldes wird durch die spar-
samen, einfachen Elemente enthüllt, die bequem innerhalb seiner
Begrenzungen Platz finden, während sich wiederholende Vertikale
(Lampenständer, Sofabeine, der Kopf der Dame) und Horizontale
(Fußablage, Sofa, antike Lampe auf ihrer Ablage, die Beine und der
Unterarm der Dame) die Komposition dominieren.
 Im Gegensatz dazu besitzt Fragonards *Die Schaukel* (S. 147), ein
Gemälde im sogenannten Rokoko-Stil, Eigenschaften der Barock-
Kunst. Kräftiges Licht fällt auf das hübsche Wesen auf der Schaukel;
es hebt das Gesicht und die Arme seines Verehrers hervor, der links
im Gebüsch liegt. Seine untere Körperhälfte verschmilzt mit dem
Blattwerk und der Diener, der die Schaukel anschiebt (rechts), ist in
den Schatten kaum zu sehen. Dies ist eine *malerische* Ausführung.
 Die Komposition ist in *zurückweichenden, in die Tiefe gehenden*
Formen organisiert, beginnend vorn links bis in die mittlere Distanz
auf der rechten Seite. Kräftige Diagonalen (die Pose des Verehrers,
die Seile der Schaukel) verlaufen über die Leinwand, während das

üppige Grün nicht durch den Rahmen des Bildes beschränkt wird. All dies sind Aspekte der *offenen Form*.

Der Einsatz solcher neutralen analytischen Kategorien kann unseren Blick schärfen und uns helfen, die Struktur eines Werkes wahrzunehmen. Wir können dann besser verstehen und schätzen, wie David es schaffte, seiner Sitzenden diesen Hauch von heiterer Würde mitzugeben, während Fragonard sein charmantes Motiv ebenso wirksam mit einem Gefühl von Lebhaftigkeit und Spontaneität ausstattete.

Jacques-Louis David
Porträt der Madame Récamier, begonnen 1800
Öl auf Leinwand,
174 x 244 cm
Musée du Louvre, Paris

Neoklassische Maler wie David setzten auch in einer späteren Periode wirksam Renaissance-Prinzipien ein.

SCHLÜSSELFRAGEN

- Erscheinen Ihnen Wölfflins Kategorien sinnvoll?
- Ist es sinnvoll, unterschiedliche Stile miteinander zu vergleichen?
- Können Sie sich andere formelle Eigenschaften vorstellen, mit denen Sie einen Zusammenhang zwischen verschiedenen Stilen herstellen können?
- Sind all diese formellen Eigenschaften entscheidend für ein gutes Gemälde?

Jean-Honoré Fragonard
Die Schaukel,
ca. 1767–1768
Öl auf Leinwand,
81 x 64 cm
Wallace Collection,
London

Die Ungezwungenheit des Rokoko von Fragonards charmantem Bild greift auf die Prinzipien des Barocks mit ihren dynamischen Diagonalen zurück.

GEHEIME BOTSCHAFTEN

-

Verborgene Symbole können die Bedeutung
eines Bildes vertiefen.

-

Jan van Eyck
Die Arnolfini-Hochzeit,
1434
Öl auf Holz,
82,2 x 60 cm
National Gallery, London

**Untersuchungen von
Experten ergaben, dass
viele der scheinbar
normalen Objekte
im Bild in Wahrheit
verdeckte Symbole
sind, die diesem ruhigen
Raum eine spirituelle
Bedeutung verleihen.**

Wenn Sie ein Bild einfach nur zum Spaß betrachten wollen, ist kaum eines besser geeignet als dieses Doppelporträt von Giovanni Arnolfini und seiner Frau von Jan van Eyck in der National Gallery in London (links). Es ist knapp einen Meter hoch und in leuchtenden Farben meisterhaft gemalt – mit unzähligen verführerischen Details.

Die Wände des bequemen und gut ausgestatteten Zimmers werden abrupt vom Bildrahmen abgeschnitten; sie scheinen uns einzuladen und binden uns in die Szene ein. Wir werden zum Näherkommen ermutigt, nicht nur durch die geringe Größe der Arbeit, auch durch die vielen Details in der Darstellung: das weiche Fell, den Glanz des polierten Metalls und selbst die feinen Schnitzereien. Das Gefühl der Privatsphäre wird durch das feine Spiel des Lichts verstärkt, das nicht nur für eine klare Darstellung sorgt, sondern das Bild vereint und ihm etwas Mystisches gibt. Denn außer dem detailreichen Realismus ist das Bild voller Magie – Spiritualität. Man bekommt das Gefühl, viele der scheinbar alltäglichen Objekte hätten einen tieferen Sinn, dass das Bild sozusagen von Bedeutung gesättigt ist.

Die einleuchtendste Erklärung – wenn auch nicht die einzige: Dies ist kein normales Porträt von Mann und Frau, sondern ein religiöses Sakrament – das Sakrament der Ehe. Indem er ihre Hand in seiner hält und die andere zum Schwur erhoben hat, schwört Giovanni Arnolfini seiner Braut die Treue, während sie mit ihrer Hand in seiner dasselbe tut. Der gegenseitige Schwur ohne Beisein eines Priesters war als Hochzeitszeremonie im Jahr 1434 durchaus üblich.

Das Bild ist gesättigt von Bedeutung.

Obwohl Zeugen nicht unbedingt nötig waren, sind sie hier doch anwesend, und das Bild selbst dient als eine Art Heiratsurkunde. Über dem Spiegel an der Wand zwischen dem Paar hat sich der Maler selbst verewigt, er schrieb »Johannes de Eyck fuit hic« (Jan van Eyck war hier) und fügt seinen Namen hinzu (umseitig). Bei einem genauen Blick in den Spiegel sehen wir die Reflexion der Tür gegenüber, in der zwei Zeugen stehen (Detail umseitig).

Aber nicht nur die gesamte Szene hat eine Bedeutung, auch jedes Detail. Im Kronleuchter brennt nur eine Kerze; zur Beleuchtung wird sie mitten am Tag nicht benötigt, sie symbolisiert vielmehr den Herrn, der alles sieht, und dessen Gegenwart die Ehe segnet. Der kleine Hund ist kein einfaches Haustier, er repräsentiert die

Jan van Eyck
Detailinschrift »Johannes
de Eyck fuit hic« (Jan van
Eyck war hier) aus
Die Arnolfini-Hochzeit,
1434 (S. 150)

**Die datierte Signatur
des Malers über dem
Spiegel bezeugt seine
Anwesenheit als
Trauzeuge.**

Treue; die Kristallperlen an der Wand und der makellose Spiegel
stehen für Reinheit, während die Früchte auf der Truhe und
am Fenster die Unschuld verkörpern, bevor Adam und Eva die
Erbsünde begingen. Selbst die Tatsache, dass die beiden Personen
keine Schuhe tragen – seine liegen links im Vordergrund, ihre hinten
in der Mitte –, hat eine Bedeutung: Sie zeigt, dass das Paar auf
heiligem Boden steht und darum die Schuhe ausgezogen hat.

Diese versteckten Symbole weihen das Bild.

Jan van Eyck
Detail des Spiegels aus
Die Arnolfini-Hochzeit,
1434 (S. 150)

**Der Spiegel zeigt das
Paar von hinten und
die beiden Personen in
der Tür. Der Rahmen
des Spiegels ist mit
zehn Szenen aus der
Passionsgeschichte
(die letzten Stunden
Jesu Christi) und der
Auferstehung dekoriert.**

Es ist also offenkundig, dass das Bild voller Symbolik steckt – und es
gibt noch mehr, die wir nicht einmal bemerkt haben. Die Symbole
sind nicht leicht als solche zu erkennen, sondern als natürliche
Elemente getarnt. Dennoch weihen sie das Bild und machen es zu
mehr als einem Sittengemälde, einem Doppelporträt, einer weltli-
chen Darstellung natürlicher Erscheinungen – zu einem feierlichen
religiösen Moment, durchdrungen von der Präsenz Gottes.

Solche getarnten Symbole waren für die flämische Kunst jener
Zeit typisch; sie sind auch in anderen Gemälden van Eycks und
seiner Zeitgenossen zu finden. Frühere Bilder waren voller expliziter
und unmissverständlicher Symbole. Künstler des 15. Jahrhunderts
wollten realistischere Werke schaffen, darum bauten sie getarnte
Symbole ein – wie die, die wir eben besprochen haben, um ihren
Naturstudien einen spirituellen Beigeschmack zu geben.

Nicht viele Gemälde sind so bemerkenswert wie dieses, aber es
hilft zu verstehen, dass ein Bild häufig mehr erzählt als das, was auf
den ersten Blick ins Auge fällt.

SCHLÜSSELFRAGEN

- Beeinflusst Ihr Wissen um die symbolische Bedeutung von
  Objekten in einem Gemälde Ihre Bewunderung dafür?
- Hängt die Bedeutung eines Bildes von den darin enthaltenen
  symbolischen Elementen ab?
- Kann ein Bild wirkungsvoll sein, wenn nichts über seine
  symbolische Bedeutung bekannt ist?

QUALITÄT

-

**Ein Meister verzaubert
eine alltägliche Szene.**

-

Alle Künstler müssen sich anstrengen. Nicht nur, dass die verwendeten Materialien zuweilen merkwürdige und unvorhersehbare Eigenschaften an den Tag legen. Am schwierigsten ist für die Künstler, in Farbe, Kohle, Mosaik oder Glas zu zeigen, was sie aussagen wollen – und wie sie das umsetzen möchten. Großartige Kunst schaffen zu können ist selten und ein wunderbarer Erfolg.

Die Künstler lassen sich dabei gern von der Tradition helfen. Gewisse Geschichten und gewisse Erzählweisen hatten sich bereits eingebürgert, da mussten sich die Maler nicht immer alles neu einfallen lassen. Zum Beispiel illustrierten viele Maler des 14. Jahrhunderts die bewegende Geschichte von Joachim und Anna, den Eltern der Jungfrau Maria. Sie waren kinderlos alt geworden und waren darüber sehr traurig. Nach langer Leidenszeit und vielen Gebeten wurde ihr Wunsch nach einem Kind endlich erfüllt. Ein Engel erschien Joachim und eröffnete ihm, dass er nun endlich Vater werden würde; zur selben Zeit wurde auch Anna in ihrem Garten von einem Engel besucht, der ihr dasselbe Wunder verkündete. Die beiden alten Leute waren hocherfreut über diese überraschende

Taddeo Gaddi
Die Begegnung von Joachim und Anna an der goldenen Pforte, 1338
Fresko in Santa Croce, Florenz

Die Begegnung von Joachim und Anna wurde von Taddeo Gaddi sorgfältig illustriert, wobei alle wichtigen Figuren das Paar begleiten und auch die Gebäude hinter der Stadtmauer zu sehen sind.

Giotto
Die Begegnung von Joachim und Anna an der goldenen Pforte, ca. 1303–1305 Fresko in der Scrovegni-Kapelle, Padua

Giotto zeigte nicht nur das physische Aufeinandertreffen der beiden Menschen, er vermochte es sogar, ihre Zuneigung und Zärtlichkeit in ihrer Umarmung zu zeigen.

Wendung und eilten zueinander – Joachim aus der Wüste und Anna aus dem Hause – und sie trafen sich am goldenen Tor der Stadt. Diesen glücklichen Moment hielten die Künstler gern im Bild fest.

Taddeo Gaddi (links) liefert eine durchaus kompetente Darstellung der Szene; ausgewogen, durchdacht, keine mittelmäßige Malerei. Joachim und Anna bilden das Zentrum des Gemäldes; sie reichen einander die Hände und schauen sich tief in die Augen. Die Stadtmauer im Hintergrund isoliert ihre von Heiligenscheinen umgebenen Köpfe, während die Figur des Schafhirten auf der linken Seite andeutet, dass Joachim soeben vom Land herbeigeeilt ist, während die Frauen hinter Anna zeigen, dass sie aus der Stadt hierher kam.

Ein großer Künstler wie Giotto macht jedoch aus einer solch alltäglichen Szene ein wahres Meisterwerk (oben). Die beiden Hauptfiguren stehen nicht in der Bildmitte, sondern die Linienführung im Bild zieht unser Auge unausweichlich zum emotionalen Herzen der Geschichte. Der zärtliche Kuss. Der Schwung ihrer warmen Umarmung, so eng, dass aus beiden Figuren eine wird – und alles wird durch den großen Bogen des Stadttores rechts verstärkt. Selbst die Form der Architektur unterstreicht den Inhalt der Szene.

Wie intensiv sich Giotto mit der Art der Umarmung auseinandergesetzt hat, wird durch die Art und Weise klar, wie er eine andere Umarmung in einer völlig anders gelagerten Szene in derselben Kapelle darstellte: *Der Kuss des Judas* (unten). Die Umarmung im Gemälde *Die Begegnung von Joachim und Anna* ist gegenseitig; jeder legt seine Arme um den anderen und die sanfte Kurve der Arme wiederholt sich in den verschlungenen Heiligenscheinen (oben, links). Wie anders der Judaskuss! Keine Gegenseitigkeit hier; der Verräter umfängt den passiven Jesus mit seinem Mantel. Die Köpfe überlagern einander nicht, sondern sind durch den intensiven Blickwechsel zwischen beiden Männern getrennt; beide wissen genau, was geschehen ist. Hinter ihnen glitzern die Speere; ihre scharfen

Giotto
Der Verrat (Der Kuss des Judas), ca. 1303–1305
Fresko in der Capella degli Scrovegni, Padua

Im Gegensatz zu Frieden und Harmonie, die das Bild von der Begegnung zwischen Joachim und Anna dominieren, herrschen in der Szene vom Judaskuss Spannung, Aggression und beginnende Gewalt vor.

Oben links: Giotto
Detail der Köpfe von
Joachim und Anna aus
dem Fresko auf S. 157

Oben rechts: Giotto
Detail der Köpfe von
Christus und Judas aus
dem Fresko gegenüber

Umrisse durchschneiden den Himmel im Hintergrund und künden
von dem bevorstehenden Unheil; der Torbogen hingegen drückt die
Harmonie des Vorangegangenen aus.

Nicht nur die verschiedenen Darstellungsformen des Kusses,
die feinen Ausschmückungen durch die unterschiedlichen Hinter-
gründe oder die brillante Idee, beide Szenen ähnlich und doch so
verschieden zu gestalten, machen Giottos Arbeiten zu Meisterwer-
ken – obwohl alle diese Faktoren dazu beitragen. Die Sicherheit von
Auge und Hand, sein scharfsinniges Urteilsvermögen, gepaart mit
tiefen Einblicken und Gefühlen – dies sind nur einige der Qualitäten, die einen Meister von einem guten Künstler unterscheiden.

BILDHAFT GESCHICHTEN ERZÄHLEN

Ein ehrwürdiger alter Mann, dessen Kräfte schwinden, segnet mit
bereits trüben Augen seine Nachkommen – dies war eine der
bewegenden biblischen Szenen voll alltäglicher Menschlichkeit, die
die holländischen Maler des 17. Jahrhunderts so gern umsetzten.
Govert Flinck (umseitig) zeigte dies in *Isaak segnet Jakob*. Isaak
wollte eigentlich seinen älteren Sohn, Esau, einen Jäger, segnen,
aber seine Frau, Rebekka, erschleicht sich den Segen stattdessen
für Jakob, den jüngeren Sohn. »Die Felle der Ziegenböckchen legte
sie um seine Hände und um seinen glatten Hals« (1. Mose 27:16),
sodass Isaak den Jungen für den behaarten Esau hielt – der Trick
funktionierte. Flinck machte aus den Fellen ein Paar Handschuhe –
für die Geschichte unwesentlich. Seine künstlerischen Fähigkeiten

widmete er der eigentlichen Botschaft: Rebekka im Hintergrund achtet darauf, dass der Trick funktioniert; Jakob kniend, angespannt und eifrig; Isaak, schwach und fast blind, verwirrt, als er die Hände seines Sohnes berührt, murmelt zu sich selbst: »Die Stimme ist zwar Jakobs Stimme, die Hände aber sind Esaus Hände.« (1. Mose 27:22) Dennoch hob er die Hand zum Segen. Eine komplexe Geschichte, einfach erzählt; ein schönes Bild, aber kein Meisterwerk.

Rembrandt bearbeitete eine ähnliche Szene: *Jakobssegen* (rechts). Jakob ist nun selbst alt und an der Schwelle zum Tod. Er ist zufrieden, nicht nur seinen lange verlorenen Sohn Josef, sondern auch seine beiden Enkel bei sich zu haben. Er bittet Josef, sie ihm näherzubringen, um sie zu küssen und zu segnen. Seine rechte Hand legt er auf den Kopf Ephraims, des Jüngeren. Josef, der den Fehler bemerkt, »ergriff die Hand seines Vaters, um sie von Ephraims Kopf auf den Kopf Manasses hinüberzuziehen« (1. Mose 48:17), aber Jakob weiß, was er tut, und besteht auf der Segnung des Jüngeren. Im Alten Testament wirkt die Geschichte etwas derb:

> »Und Josef sagte zu seinem Vater: 'Nicht so, Vater, sondern der ist der Erstgeborene; leg deine Rechte ihm auf den Kopf!' Aber sein Vater wollte nicht. Ich weiß, mein Sohn, ich weiß, ...«
> 1. Mose 48:18–19

Govert Flinck
Isaak segnet Jakob,
ca. 1638
Öl auf Leinwand,
117 x 141 cm
Rijksmuseum, Amsterdam

In Holland trat die Kirche selten als Auftraggeber für religiöse Gemälde in Erscheinung, aber die vor allem protestantischen Bürger liebten biblische Szenen aus dem Alten Testament.

Rembrandt van Rijn
Jakobssegen, 1656
Öl auf Leinwand,
173 x 209 cm
Staatliche Museen, Kassel

**In dieser kleinen
Begebenheit entdeckte
Rembrandt eine ganze
Welt menschlicher
Gefühle, die er uns mit
seinem Bild nahebringt.**

In Rembrandts Gemälde ist da nur Zärtlichkeit. Mit viel Feingefühl führt Josef die Hand des fast blinden alten Mannes; die beiden kleinen Jungen kuscheln auf dem weichen Krankenbett. Ihre Mutter hält sich diskret an der Seite. Welch eine Menschlichkeit, wie viel Behutsamkeit und Liebe finden in diesem ruhigen Bild zusammen.

Ein guter Maler kennt sich mit Bildkomposition aus, hat ein Verständnis für harmonische Farben und sieht, wo Farben nicht zusammenpassen. Über Tradition weiß er, wo ihre Stärken und ihre Grenzen liegen. Seine Arbeiten sind zufriedenstellend, angenehm, sorgen für Verständnis eines Themas oder erweitern unsere Formwahrnehmung. Ein großartiger Maler jedoch kann seine wunderbare Gabe nutzen, um uns eine völlig neue Welt sehen und spüren zu lassen.

SCHLÜSSELFRAGEN

- Sind einige Kunstwerke besser als andere?
- Worin unterscheidet sich ein gutes Gemälde von einem großartigen?
- Kann man Qualität erlernen?

GLOSSAR

Action Painting
Ein Malstil, der seine Blüte in den USA von den 1940ern bis zu den frühen 1960ern erlebte. Farbe wird spontan auf die Leinwand gespritzt, getröpfelt oder geschmiert, um den körperlichen Akt des Malens zu betonen. Führende Vertreter dieses Stils waren Jackson Pollock und Franz Kline (siehe S. 14 und 110 unten; eine Parodie des Stils wird auf S. 110 oben und 111 vorgestellt).

Adonis
In der klassischen Mythologie war Adonis ein schöner junger Mann, der Geliebte der Göttin Venus, dem es jedoch bestimmt war zu sterben, sollte er auf die Jagd gehen (siehe S. 75 und 144–145).

Allegorie
Die Allegorie erlaubt es der Kunst, komplexe Ideen oder verborgene Bedeutungen in konkreter oder fassbarer Form darzustellen. Wenn also Venus (die Göttin der Liebe) den Mars (den Gott des Krieges) besiegt, bedeutet dies, dass die Liebe den Krieg besiegt und Frieden bringt (siehe S. 73–74 und 78–79), oder wenn die Zeit einen Vorhang beiseite zieht, um die Komplexität der erotischen Liebe zu enthüllen (siehe S. 12–14).

Altes Testament
In der christlichen Tradition ist das Alte Testament der Teil der Bibel, der aus den hebräischen Schriften besteht (den kanonischen religiösen Schriften, die von den alten Israeliten gesammelt wurden – der jüdische Tanach).

Anbetung der Heiligen drei Könige
Die christliche Tradition berichtet, dass weise Männer einen neuen Stern beobachteten, als Jesus geboren wurde. Sie folgten ihm, um das Jesuskind zu finden, huldigten dem Kind und brachten ihm reiche Gaben dar. Meist stellten Künstler drei Weise dar, einen für jedes der genannten Geschenke (Gold, Weihrauch und Myrrhe), in unterschiedlichem Alter und von verschiedener Herkunft (siehe S. 90–91).

Anbetung der Hirten
Als Jesus geboren wurde, verkündete laut christlicher Tradition ein Engel einigen Hirten, dass ihr Heiland (Jesus Christus) ein Kind in einer Krippe sei. Den Hirten erschienen himmlische Wesen und sie gingen,

das Kind anzubeten. Dies bot Künstlern die Gelegenheit, einfache Männer in bescheidener Kleidung den reich gekleideten Himmelsboten gegenüberzustellen (siehe S. 87–89).

Apollo
Gott der Musik und der Bogenschützen in der griechischen und römischen Mythologie und Religion. Man glaubte, dass seine Pfeile die Pest bringen würden.

Apostel
In der christlichen Tradition war ein Apostel einer der zwölf Jünger, die sich um Christus sammelten und später von ihm ausgeschickt wurden, um das Evangelium zu predigen. Der Begriff »Apostel« kann auch für spätere Prediger benutzt werden, etwa den heiligen Paulus.

Auferstehung
In der christlichen Tradition erstand Jesus Christus drei Tage nach seiner Kreuzigung von den Toten wieder auf (siehe S. 96–97).

Barock
Eine Kunstrichtung aus dem 17. und der ersten Hälfte des 18. Jahrhunderts, die sich durch emotionale Vitalität und Energie, starke Kontraste zwischen hell und dunkel, freie, malerische Pinselstriche, offene Kompositionen und den häufigen Einsatz von Diagonalen an der Oberfläche von Bildern und in der Darstellung von Tiefe auszeichnete (siehe S. 137–147).

Bibel
In der christlichen Tradition ist die Bibel eine Sammlung heiliger Schriften, die aus dem Alten und dem Neuen Testament besteht und die Grundlage der christlichen Religion bildet.

Bildebene
Die Bildebene ist die eigentliche zweidimensionale Oberfläche des Bildes und die allervorderste Ebene des imaginären Raumes, der in einem Bild dargestellt wird (siehe S. 134–147).

Christi Geburt
In der christlichen Tradition werden hiermit Bilder des neugeborenen Jesus (einschließlich seiner ihn verehrenden Mutter und anderer Figuren) bezeichnet.

Christus

Jesus von Nazareth wird von den Christen als Christus oder Messias betrachtet, dessen Kommen als Erlöser im Alten Testament vorhergesagt wird.

Erbsünde

In der christlichen Tradition war Adams Übertretung des Verbotes, die Früchte vom Baum der Erkenntnis zu essen (siehe Vertreibung), die Ursache für die Erbsünde, die Verderbtheit oder Tendenz zum Bösen, die der Menschheit innewohnt und als Folge von Adams Sünde durch die Generationen weitergegeben wird. Man glaubte, dass die Menschheit durch das Opfer von Jesus Christus erlöst werden würde (siehe S. 85–87).

Erweckung des Lazarus

Siehe Lazarus

Eucharistie

Laut der christlichen Tradition gab Jesus während des letzten Abendmahls seinen Jüngern Brot mit den Worten »Dies ist mein Leib« und Wein mit den Worten »Dies ist mein Blut« und schuf damit das Ritual der Eucharistie, eines der Sakramente der christlichen Kirche (siehe S. 130–133).

Evangelien

Die Evangelien sind die ersten vier Bücher des Neuen Testaments, die Matthäus, Markus, Lukas und Johannes zugeschrieben werden. Sie bilden die Grundlage der christlichen Religion und berichten über das Leben und die Lehren Jesu (siehe auch Evangelisten).

Evangelisten

In der christlichen Tradition sind die Evangelisten Matthäus, Markus, Lukas und Johannes die Autoren der Evangelien, der ersten vier Bücher des Neuen Testaments, in dem das Leben und die Lehren Jesu wiedergegeben werden (siehe S. 40–43).

Genremalerei

Gemälde, in denen Szenen des Alltagslebens abgebildet werden (siehe S. 46–57).

Grablegung

In der christlichen Tradition zeigt die Grablegung in einem Gemälde oder einer Skulptur, wie die Anhänger von Jesus seinen Körper nach dem Abnehmen vom Kreuz in das Grab legen (siehe S. 94–97).

Heidnisch

Heidnische Religionen, wie die der alten Griechen und Römer, hatten im Gegensatz zu den monotheistischen Religionen, wie Judentum, Christentum und Islam, viele Götter. Die heidnischen Götter des klassischen Altertums wurden in der späteren Kunst oft auf symbolische oder allegorische Weise benutzt.

Heilige Familie

In der christlichen Tradition besteht die Heilige Familie aus der Jungfrau Maria, Josef (ihrem Mann) und dem Jesuskind.

Heilige Schriften

siehe Bibel

Impressionismus

Name eines Malstils, der im letzten Drittel des 19. Jahrhunderts in Frankreich entwickelt wurde. Die Impressionisten nutzten kurze Pinselstriche und setzten helle, komplementäre Farben nebeneinander, um lebhafte visuelle Eindrücke einer Szene herzustellen. Sie lehnten die sorgfältige Endbearbeitung der akademischen Maler der damaligen Zeit ab und arbeiteten oft im Freien, wo sie das moderne Leben auf ihrer Suche nach einer natürlicheren Darstellung der Effekte des Lichts porträtierten (siehe S. 25–26 und 52).

Jesus

In der christlichen Tradition war Jesus von Nazareth der Sohn Gottes und der Messias, dessen Kommen das Alte Testament prophezeit hatte. Als Christus war es ihm bestimmt, die Menschheit von der Erbsünde zu erlösen (siehe Vertreibung).

Johannes der Evangelist

In der christlichen Tradition einer der Jünger und Autor eines der Evangelien sowie anderer Bücher im Neuen Testament.

Johannes der Täufer

In der christlichen Tradition war der heilige Johannes, der Täufer, ein Prediger, der das Kommen Jesu Christi vorhersagte. Er taufte alle, die ihre Sünden bereuten, und erkannte Jesus, als er ihn taufte (siehe S. 91–92).

Judas

In der christlichen Tradition war Judas Ischariot der Jünger von Jesus, der ihn verriet (siehe S. 158–159).

Judaskuss

In der christlichen Tradition verriet Judas Ischariot Jesus an seine Häscher, indem er ihn küsste (siehe S. 158 und 159, rechts).

Jünger

In der christlichen Tradition einer der zwölf persönlichen Anhänger Christi (siehe auch Apostel).

Jungfrau

In der christlichen Tradition wurde Maria, die Mutter Jesu, als »die Jungfrau« bezeichnet.

Klassische Antike

Klassische Antike bezieht sich auf die heidnische Periode der Blütezeit der griechischen und römischen Zivilisationen, etwa von der Zeit Homers im 8. Jh. v. Chr. bis zum 4. Jh. n. Chr., als das Christentum zur Staatsreligion des Römischen Reiches wurde.

Koran

In der islamischen Tradition ist der Koran der heilige Text, der Mohammed vorgeblich vom Erzengel Gabriel diktiert wurde und den Muslimen als Grundlage von Gesetz, Religion, Kultur und Politik gilt (siehe S. 102).

Kreuzigung

In der christlichen Tradition war die Kreuzigung der Tod durch das Nageln der Person an ein Holzkreuz. Dies war eine häufig eingesetzte Form der Bestrafung im alten Rom, die auch Jesus erleiden musste; ihre Darstellung in der Kunst, oft mit Trauernden, ist ein zentrales Thema der christlichen Religion (siehe S. 92–94).

Kubismus

Ein Malstil, der im frühen 20. Jahrhundert von Picasso und Braque entwickelt wurde. Die Kubisten lehnten die Idee ab, dass ein Bild die Natur nachahmen muss, und versuchten, die zugrundeliegende geometrische Struktur darzustellen, indem sie natürliche Formen aufbrachen und den Unterschied zwischen Figur und Hintergrund größtenteils auslöschten (siehe S. 38–40).

Lazarus

In der christlichen Tradition erweckte Jesus Lazarus vier Tage nach dessen Tod wieder zum Leben (siehe S. 11–12).

Letztes Abendmahl
In der christlichen Tradition das letzte Mahl, das Jesus vor seiner Kreuzigung mit seinen Jüngern teilte (siehe S. 128–130; siehe auch Eucharistie).

Madonna
In der christlichen Tradition ein Ehrenname für die Jungfrau Maria.

Maria
In der christlichen Tradition der Name der Mutter Jesu, auch als Madonna oder Jungfrau Maria bezeichnet.

Mariä Verkündigung
In der christlichen Tradition kam ein Engel zur Jungfrau Maria und verkündigte ihr, dass sie ein Kind mit Namen Jesus zur Welt bringen würde, den Sohn Gottes (siehe S. 84–85 und 126–127).

Mars
Gott des Krieges in der Religion und Mythologie des alten Rom (siehe S. 72–74 und 78–79).

Märtyrer
Einer, der freiwillig den Tod erleidet, statt seiner Religion abzuschwören (vom griechischen Wort für »Zeuge«, d. h. »ein Zeuge seines Glaubens«) (siehe S. 82–83 und 121).

Merkur
Götterbote in der Religion und Mythologie des alten Rom, erkennbar an den Flügeln, an Sandalen und Hut (siehe S. 76–77).

Messbuch
Ein Buch mit christlichen Gebeten und Andachten (siehe S. 126).

Mosaik
Die Technik des Zusammensetzens von Bildern oder Designs aus kleinen Stücken Naturstein oder Glas (siehe S. 11, 94 und 133).

Neoklassisch
Eine Bewegung, die Mitte des 18. Jahrhunderts entstand und sich zum Ziel setzte, die Kunst der klassischen Antike, vor allem die des alten Rom, wiederzubeleben. Angeregt durch die Entdeckung von Pompeji und Herculaneum und als Reaktion auf die emotionalen Exzesse des Barocks und die dekorative Verspieltheit des Rokoko, neigte der neo-

klassische Stil zu einer gewissen Ernsthaftigkeit in der Komposition und Geradlinigkeit im Stil und vertrat damit in vielerlei Hinsicht Prinzipien, die in der Renaissance entwickelt worden waren (siehe S. 68 und 146).

Neues Testament
Eine Sammlung von Schriften, die in der christlichen Religion als heilig gelten (siehe auch Bibel).

Personifizierung
Die Darstellung einer Sache oder eines abstrakten Konzepts in Form einer menschlichen Figur, etwa wenn die Zeit als alter Mann mit einem Stundenglas oder die Eifersucht als alte Frau mit zerrauften Haaren gezeigt wird, wie in dem Gemälde auf S. 12–14 und 72–74.

Renaissance
Renaissance oder »Wiedergeburt« ist ein Begriff, der sich auf die Wiederbelebung von Kunst und Literatur des klassischen Altertums bezieht, die Ende des 14. Jahrhunderts in Italien begann. Die Kunst der Hochrenaissance (spätes 15. und frühes 16. Jahrhundert) zeichnet sich durch einen linearen Stil, Kompositionen geschlossener Form, basierend auf Ebenen parallel zur Bildebene und eine Vielheit der Elemente aus (siehe S. 136–147).

Rokoko
Ein Stil, der sich aus dem Barock entwickelte, aber verspielter, dekorativer und leichtherziger ist (siehe S. 145–147).

Stifter
Die Person, die ein Kunstwerk beauftragte und bezahlte, wird oft (häufig in kleinerem Maßstab) im Gebet vor den heiligen Figuren dargestellt (siehe S. 88–89).

Stundenbuch
In der christlichen Religion ein frommes Buch mit Gebeten, Psalmen und anderen Texten, im Mittelalter sehr beliebt und oft (manchmal aufwendig) mit Bildern verziert (siehe S. 51).

Surrealismus
Eine in den 1920er und 1930er Jahren blühende Kunstbewegung, die sich durch eine Faszination von dem Bizarren, dem Ungereimten und dem Irrationalen auszeichnete (siehe S. 22–24).

Taufe

In der christlichen Tradition ist eine Taufe ein zeremonielles Unter-
tauchen in Wasser (oder Bestreichen mit Wasser) als Aufnahmeritus
oder Sakrament der christlichen Kirche (siehe S. 91–92 für die Taufe
Christi).

Treffen von Joachim und Anna

In der christlichen Tradition trafen sich Joachim und Anna, die künfti-
gen Eltern der Jungfrau Maria, am goldenen Tor der Stadt Jerusalem,
nachdem sie getrennt voneinander darüber informiert worden waren,
dass sie das lange ersehnte Kind bekommen würden (siehe S. 156–158
und 159, links).

Venus

Göttin der Liebe und der Schönheit in Religion und Mythologie des
alten Rom (siehe S. 12–13, 16, 73–79, 86–87 und 144–145).

Vertreibung

Laut der jüdischen Tradition schuf Gott Adam und Eva als die ersten
Menschen und setzte sie in den Garten Eden (Paradies) mit einem einzigen Verbot: Sie dürften nicht vom Baum der Erkenntnis essen. Eine
Schlange überredete Eva, das Verbot zu übertreten, und sie wiederum
überzeugte Adam, es ihr gleichzutun. Wegen dieser Sünde wurden
die beiden aus dem Garten Eden vertrieben, wie das Alte Testament
berichtet (1. Mose 3:1–24). Oft wird dargestellt, wie ein Engel Adam
und Eva aus dem Paradies vertreibt (siehe S. 85–87).

Vulkan

Gott der Schmiedekunst in Religion und Mythologie des alten Rom,
Ehemann von Venus.

Wunder der Brote und Fische

Die christliche Tradition erzählt, dass Jesus eine große Menschenmenge
zu beköstigen gedachte, aber nur fünf Brote und zwei getrocknete
Fische hatte. Nachdem er diesen knappen Proviant gesegnet hatte,
konnten seine Jünger jedoch 5.000 Menschen speisen und es blieben
immer noch 12 Körbe Brot übrig (siehe S. 131–133).

Zentralperspektive

Eine Erfindung des 15. Jahrhunderts, die die Konstruktion einer konsis-
tenten Tiefenillusion auf einer zweidimensionalen Oberfläche erlaubte,
indem alle Sehstrahlen, die scheinbar lotrecht zur Bildebene stehen,
sich in einem Fluchtpunkt treffen (siehe S. 126–133).

Flämische Schule
Cognoscenti in a Room
Hung with Pictures,
ca. 1620
Tafelbild in Öl,
96 x 123,5 cm
National Gallery, London

Die Cognoscenti,
Kunstliebhaber, haben
sich versammelt, um sich
an Büchern, Drucken
und Statuen zu erfreuen
und sich – wie wir –
Bilder anzuschauen. Im
17. Jahrhundert wurden
in Antwerpen viele
solcher Bilder hergestellt,
die oft reale Objekte in
einem möglicherweise
imaginären Umfeld
zeigten.

LITERATUREMPFEHLUNGEN

Arnheim, Rudolf, *Kunst und Sehen: Die Psychologie des schöpferischen Auges* (de Gruyter, 2000)

Berger, John, *Sehen: Das Bild der Welt in der Bilderwelt* (Fischer, 2016)

Bird, Michael, und Kate Evans, *Vincents Sternennacht, Eine Kunstgeschichte für Kinder* (Midas, 2016)

Boardman, John, *Die griechische Kunst* (Hirmer, 1966)

Clark, Kenneth, *Das Nackte in der Kunst* (Phaidon, 1958)

Farthing, Stephen (Hrsg.) *Kunst. Die ganze Geschichte* (Dumont, 2011)

Gombrich, Ernst, *Kunst & Illusion* (Phaidon, 2002)

Gombrich, Ernst, *Die Geschichte der Kunst* (Phaidon, 2002)

Hockney, David, und Martin Gayford, *Welt der Bilder: Von der Höhlenmalerei bis zum Screen* (Sieveking Verlag, 2016)

Honour, Hugh, und John Fleming, *Weltgeschichte der Kunst* (Prestel Verlag, 2007)

Hughes, Robert, *Der Schock der Moderne* (Econ, 1983)

Panofsky, Erwin, *Sinn und Deutung in der bildenden Kunst* (DuMont, 2002)

Ramage, Nancy H., und Andrew Ramage, *Römische Kunst* (Könemann, 1999)

Rosen, Aaron, *Eine Reise durch die Kunst* (Midas, 2018)

Wölfflin, Heinrich, *Kunstgeschichtliche Grundbegriffe* (Schwabe Basel, 2004)

Woodford, Susan, *Images of Myths in Classical Antiquity* (Cambridge University Press, Cambridge, 2003)

INDEX

Illustrationen sind *kursiv*.

BILDNACHWEISE

a oben b unten l links r rechts

2 Musée d'Orsay, Paris; 4 Getty Images/Universal Images Group; 8 National Gallery, London; 10 Melba/AGE Fotostock; 11 De Agostini Editore/A DAGLI ORTI/AGE Fotostock; 13 National Gallery, London; 14 Metropolitan Museum of Art, New York, George A. Hearn Fund, 1957/© The Pollock-Krasner Foundation ARS, NY und DACS, London 2018; 18 Fine Art/Corbis Historical/Getty Images; 20 Metropolitan Museum of Art, New York, Nachlass von Mary Stillman Harknoss, 1950; 21 Musée d'Orsay, Paris; 23 Museum of Modern Art, New York. Anonyme Spende/© Salvador Dalí, Fundació Gala-Salvador Dalí, DACS, 2018; 24 National Gallery, London; 25 Musée Marmottan Monet, Paris; 26 Tate, London; 27 Metropolitan Museum of Art, New York, H. O. Havemeyer Collection, Nachlass von Mrs H. O. Havemeyer, 1929/Fine Art/Corbis Historical/Getty Images; 28 Scottish National Gallery, Edinburgh/Bridgeman Images; 30 Musée du Louvre, Paris; 33a Historical Museum, Amsterdam; 33b Frans Halsmuseum, Haarlem/AGE Fotostock/De Agostini Editore; 34 Metropolitan Museum of Art, New York, Nachlass von Benjamin Altman, 1913; 35 Uffizien, Florenz; 36 Musée du Louvre, Paris; 37 Musée du Louvre, Paris/Bridgeman Images; 38 Puschkin Museum, Moskau/© Succession Picasso/DACS, London 2018; 39 Metropolitan Museum of Art, New York, The Elisha Whittelsey Collection, The Elisha Whittelsey Fund, 1947/Foto © Gerald Bloncourt/Bridgeman Images/© Succession Picasso/DACS, London 2018; 41 De Agostini Editore/AGE Fotostock; 42 Metropolitan Museum of Art, New York, erworben 1961; 44 Musée Condé, Chantilly; 46 Apsley House, The Wellington Museum, London/Bridgeman Images; 48 The Metropolitan Museum of Art, New York, Rogers Fund, 1919; 49 © The Lowry Collection, Salford; 50 Metropolitan Museum of Art, New York, H. O. Havemeyer Collection, Nachlass von Mrs H. O. Havemeyer, 1929; 51 Musée Condé, Chantilly; 52 Phillips Collection, Washington, DC; 53 British Museum, London; 54 Yale University Art Gallery, New Haven, Connecticut, Geschenk von Stephen Carlton Clark, 1903/© Succession Picasso/DACS, London 2018; 56 Museo Nazionale, Neapel; 57 Musée d'Orsay, Paris; 58 Museum of Modern Art, New York, Geschenk von Mr. und Mrs. David Rockefeller; 59 Rijksmuseum, Amsterdam; 60 Albright-Knox Art Gallery, Buffalo, Geschenk von Seymour H. Knox, Jr, 1963/© 2018 The Andy Warhol Foundation for the Visual Arts, Inc./Artists Rights Society (ARS), New York und DACS, London; 61 Metropolitan Museum of Art, New York, Rogers Fund, 1949; 62 Museo del Prado, Madrid; 65 Centre Guillaume le Conquérant, Bayeux; 66–7 Centre Guillaume le Conquérant, Bayeux/irishphoto.com/Alamy; 68 Metropolitan Museum of Art, New York, Catherine Lorillard Wolfe Collection, 1931; 69 Museo del Prado, Madrid; 70–71 Museo Reina Sofía, Madrid/© Succession Picasso/DACS, London 2018; 72 Museo del Prado, Madrid/© Succession Picasso/DACS, London 2018; 73 Privatsammlung/© Succession Picasso/DACS, London 2018; 74 Palazzo Pitti, Florenz/Bridgeman Images; 75 Gallerie Nazionale di Capodimonte, Neapel; 76 Metropolitan Museum of Art, New York, Rogers Fund, 1928; 77 bpk/Antikensammlung, Staatliche Museen zu Berlin/Ingrid Geske; 78–9 National Gallery, London; 80 Pinacoteca Civica, Borgo San Sepolcro; 83 Kunsthistorisches Museum, Wien; 85 National Gallery of Art, Washington, DC, Samuel H. Kress Collection; 86l Santa Maria del Carmine, Florenz; 86r Musée du Louvre, Paris; 88–9 Uffizien, Florenz/Bridgeman Images; 90 Metropolitan Museum of Art, New York, John Stewart Kennedy Fund, 1913; 92 Baptisterium der Arianer, Ravenna; 93 Musée Unterlinden, Colmar; 94 Hervé Champollion/akg-images; 95 Vatikanische Pinakothek, Rom; 96 Pinacoteca Civica, Borgo San Sepolcro; 98 British Library, London; 100 Eremitage, St. Petersburg/© Succession H. Matisse/DACS 2018; 101 Metropolitan Museum of Art, New York, Harris Brisbane Dick und Rogers Fund, 1949; 102 Metropolitan Museum of Art, New York, Rogers Fund, 1950; 103 British Library, London; 105a Kunsthaus, Zürich, Geschenk von Alfred Roth/© 2018 Mondrian/Holtzman Trust; 105b Tate, London, erworben 1965/© The Josef and Anni Albers Foundation/VG Bild-Kunst, Bonn, und DACS, London 2018; 106 Mugrabi Collection/© Damien Hirst und Science Ltd. Alle Rechte vorbehalten, DACS 2018; 108 Musée d'Orsay, Paris; 110a Kunstsammlung Nordrhein-Westfalen, Düsseldorf/© Estate of Roy Lichtenstein/DACS 2018; 110b Collection Museum of Contemporary Art, Chicago, Geschenk von Claire B. Zeisler/© ARS, NY und DACS, London 2018; 112 Musée d'Orsay, Paris; 113 Nahmad Collection, Schweiz/© Succession Picasso/DACS, London 2018; 114a Privatsammlung, New York/© Succession Picasso/DACS, London 2018; 114b Metropolitan Museum of Art, New York, Rogers Fund, 1919; 115 Villa Medici, Rom/Alinari/Topfoto.co.uk; 116 Villa Farnesina, Rome; 118 Walker Art Gallery, Liverpool; 119 Iveagh Bequest, Kenwood House, London; 121 National Gallery, London; 122 Villa Farnesina, Rome; 124 Museo San Marco, Florenz/AGE Fotostock/De Agostini Editore/G. Nimatallah; 126 Metropolitan Museum of Art, New York, Fletcher Fund, 1925; 127 Museo San Marco, Florenz/AGE Fotostock/De Agostini Editore/G. Nimatallah; 128 Sant'Apollonia, Florenz; 129 Santa Maria delle Grazie, Mailand; 130 San Giorgio Maggiore, Venedig/Getty Images/DEA/F.Ferruzzi; 131 Metropolitan Museum of Art, New York, Francis L. Leland Fund, 1913; 132 Metropolitan Museum of Art, New York, Francis L. Leland Fund, 1913; 133 Sant'Apollinare Nuovo, Ravenna/Getty Images/DEA/A.Dagli Orti; 134 Metropolitan Museum of Art, New York, The Jules Bache Collection, 1949; 136 Metropolitan Museum of Art, New York, Geschenk von J. Pierpont Morgan, 1916; 138 Metropolitan Museum of Art, New York, Geschenk von James Henry Smith, 1902; 141a Vatikanische Museen, Rom; 141b Rijksmuseum, Amsterdam; 142 National Gallery, London; 143 Musée du Louvre, Paris; 144a Metropolitan Museum of Art, New York, The Jules Bache Collection, 1949; 144b Metropolitan Museum of Art, New York, Geschenk von Harry Payne Bingham 1937; 146 Musée du Louvre, Paris; 147 Wallace Collection, London; 148, 150 National Gallery, London/World History Archive/Ann Ronan Collection/AGE Fotostock; 152a, b National Gallery, London/DEA/M.Carrieri/AGE Fotostock; 154 Staatliche Museen, Kassel; 156 Santa Croce, Florenz/DEA/G.Nimatallah/AGE Fotostock; 157 Scrovegni (Arena) Chapel, Padua/Antonio Quattrone/Mondadori Portfolio/AGE Fotostock; 158, 159ar Scrovegni-(Arena) Kapelle, Padua; 159al Scrovegni-(Arena) Kapelle, Padua/Antonio Quattrone/Mondadori Portfolio/AGE Fotostock; 160 Rijksmuseum, Amsterdam; 161 Staatliche Museen, Kassel; 170–71 National Gallery, London, vermacht von John Staniforth Beckett, 1889/Universal Images Group/Getty Images.

ART ESSENTIALS

www.art**e**ssentials.de

www.midascollection.com

IMPRESSUM

5. Auflage
© 2022 Midas Collection
ISBN 978-3-03876-130-3

Herausgeber: Gregory C. Zäch
Übersetzung: Claudia Koch
Layout: Ulrich Borstelmann

Midas Verlag AG
Dunantstrasse 3
CH 8044 Zürich

www.midas.ch

Englische Originalausgabe:
Looking at Pictures © 2018
Thames & Hudson Ltd. London
Text © 1983, 2018 Susan Woodford

Die deutsche Nationalbibliothek
verzeichnet diese Publikation in der
Deutschen Nationalbibliografie;
detaillierte bibliografische Daten
sind im Internet abrufbar unter:
http://www.dnb.de

Alle Rechte vorbehalten

QUELLENANGABEN

Titel: Katsushika Hokusai, *Die große Welle vor Kanagawa*, 1830–32 (Detail von S. 27).
Metropolitan Museum of Art, New York, H. O. Havemeyer Collection, Nachlass von Mrs
H. O. Havemeyer, 1929/Fine Art/Corbis Historical/Getty Images

Titelseite Vincent van Gogh, *die Kirche von Auvers*, 1890 (Detail von S. 21). Musée
d'Orsay, Paris

Seite 8 Flämische Schule, *Cognoscenti in a Room Hung with Pictures*, ca. 1620 (Detail von
S. 162–3). National Gallery, London

Kapiteleinstiege: S. 10 Angolo Bronzino, *Eine Allegorie mit Venus und Cupido*, ca. 1545
(Detail von S. 13). National Gallery, London; **S. 30** Jean Clouet, *Franz I.*, ca. 1530
(Detail von S. 36). Musée du Louvre, Paris; **S. 44** Brüder Limbourg, *Februar aus Das
Stundenbuch des Duc de Berry*, 1413–16 (Detail von S. 51). Musée Condé, Chantilly;
S. 62 Francisco Goya, *Die Erschießung der Aufständischen*, 1814 (Detail von S. 69). Museo
del Prado, Madrid; **S. 80** Piero della Francesca, *Die Auferstehung*, ca. 1463 (Detail von
S. 97). Pinacoteca Civica, Borgo San Sepolcro; **S. 98** Englischer Buchmaler, Seite aus
dem Lindisfarne-Evangeliar, ca. 700–21 (Detail von S. 103). British Library, London;
S. 108 Édouard Manet, *Le Déjeuner sur l'herbe*, 1863 (Detail von S. 112). Musée d'Orsay,
Paris; **S. 116** Raffael, *Galatea*, ca. 1514 (Detail von S. 122). Villa Farnesina, Rom; **S. 124**
Fra Angelico, *Mariä Verkündigung*, ca. 1440–50 (Detail von S. 127). Museo San Marco,
Florenz; **S. 134** Tizian, *Venus und Adonis*, ca. 1553 (Detail von S. 145). Metropolitan
Museum of Art, New York; **S. 148** Jan van Eyck, *Die Arnolfini-Hochzeit*, 1434 (Detail von
S. 150). National Gallery, London; **S. 154** Rembrandt, *Jakobssegen*, 1656 (Detail von
S. 161). Staatliche Museen, Kassel

Zitat auf S. 107 Damien Hirst und Gordon Burn, *On the Way to Work* (Faber & Faber,
London, 2001), S. 90